942.902
Jon

HANES CYMRU

YN OES Y TYWYSOGION

HANES CYMRU
YN
OES Y TYWYSOGION

TECWYN JONES

Yr arlunio gan Ian Rolls

Cyhoeddwyd dan nawdd Cynllun Gwerslyfrau
Cyd—bwyllgor Addysg Cymru

CAERDYDD
GWASG PRIFYSGOL CYMRU
1983

© Tecwyn Jones, 1983 ©

Manylion Catalogio Cyhoeddi (CIP) Y Llyfrgell Brydeinig
Jones, Tecwyn
Hanes Cymru yn oes y tywysogion.
1. Cymru — Hanes — hyd at 1536
I. Teitl
ISBN 0-7083-0838-4
Cyfieithwyd y Manylion Catalogio Cyhoeddi gan y Cyhoeddwyr

Argraffwyd gan Argraffwyr CSP, Caerdydd

RHAGAIR

Ail gyfrol yn y gyfres 'Hanes Cymru' yw'r gyfrol hon. Dilyniant ydyw i *Hanes Cymru hyd at Farw Hywel Dda* ac fe'i bwriedir yn bennaf ar gyfer plant yr ail flwyddyn mewn Ysgolion Uwchradd.

Yr wyf yn ddyledus i nifer o unigolion a chyhoeddwyr a nodir ar y tudalen Cydnabyddiaeth am ganiatâd i gynnwys dyfyniadau llenyddol. Dymunaf ddiolch i Dr. D. Huw Owen, Adran Hanes Cymru, Coleg y Brifysgol, Caerdydd am ei awgrymiadau gwerthfawr a'i gymorth â ffeithiau hanesyddol, ac i swyddogion Adran Gymraeg Cyd-bwyllgor Addysg Cymru, yn arbennig Mr. Alan Llwyd a Mr. Rhodri Morgan a ddarllenodd ac adolygu'r gwaith yn drwyadl iawn.

Yn olaf, diolch o galon i Gyfarwyddwr Gwasg Prifysgol Cymru a Mr. Alun Treharne am eu trylwyredd a'u gofal arbennig wrth baratoi'r gyfrol i'w chyhoeddi.

Mawrth 1983   Tecwyn Jones

CYDNABYDDIAETH

Dymuna'r awdur a'r cyhoeddwyr gydnabod y cymorth a'r cyfarwyddyd a gafwyd gan y canlynol wrth baratoi'r gyfrol hon i'w chyhoeddi:

Lluniau a chynllun y clawr

Tynnwyd gan Ian Rolls trwy gydweithrediad Adran Ddylunio'r Cyngor Llyfrau Cymraeg a noddir gan Gyngor Celfyddydau Cymru.

Mapiau a diagramau

Paratowyd gan Adran Gartograffig y Swyddfa Gymreig a Ken ac Angela Price.

Ffotograffau

Atgynhyrchir gyda chaniatâd y canlynol:

Lluniau 3, 5 (i), 34: BBC Hulton Picture Library.

Llun 5 (ii): Public Record Office, Llundain.

Lluniau 17, 38: Jarrold Colour Publications.

Lluniau 21, 22, 25, 26, 33, 41, 44: Y Comisiwn Brenhinol ar Henebion yng Nghymru.

Llun 24: Llyfrgell Genedlaethol Cymru.

Llun 27: Amgueddfa Victoria and Albert, Llundain.

Llun 28: Amgueddfa Genedlaethol Cymru, trwy garedigrwydd ei Mawrhydi'r Frenhines.

Lluniau 39, 47: Cyngor y Ddinas, Caerdydd.

Lluniau 49, 51, 53, 55: Adran Hysbysrwydd y Swyddfa Gymreig.

Dyfyniadau

Dymunir diolch i Mr. Gerallt Lloyd Owen am ganiatâd i ddyfynnu o'i gerdd 'Cilmeri'; i Mr. Saunders Lewis am ddyfynnu darnau o'i ddrama *Siwan*; i Mr. Arthur ap Gwynn am ddyfynnu o 'Ystrad Fflur', 'Gwenllian', a 'Cynfig Hir a'r Brenin' gan T. Gwynn Jones; ac i Syr Thomas Parry am ddyfynnu o *Lladd wrth yr Allor*.

CYNNWYS

MAPIAU

LLUNIAU

RHAGARWEINIAD

Wedi Marw Hywel Dda

Anhrefn

Am ganrif bron, bu cryn anhrefn yng Nghymru. Mae sôn am gynifer â phymtheg pennaeth ar hugain yn cael eu lladd trwy ddulliau dichellgar ac erchyll, rhai mewn ysgarmesoedd yn eu mysg eu hunain, rhai mewn ymrafael â'r Saeson, a rhai mewn gwrthdrawiad â Llychlynwyr. Cafodd pedwar arall, yn ôl yr hanes, eu dallu, a chafodd nifer eu carcharu am gyfnod amhenodol.

Maredudd ab Owain

Bellach, nid oedd neb y gellid ei gymharu â Rhodri Mawr neu Hywel Dda yn arweinydd y genedl. Yn wir, ychydig iawn o benaethiaid Cymru a enillodd unrhyw fath o awdurdod sefydlog yn y cyfnod hwn. Un o'r ychydig hyn oedd Maredudd ab Owain, ŵyr i Hywel Dda, a lywodraethai Ddeheubarth a Dyfed (986-99). Ni chafodd ef unrhyw drafferth yn yr ardaloedd hyn ac eithrio yng Ngwynedd, lle'r oedd ei berthnasau ef ei hun, ar brydiau, yn troi yn ei erbyn — ei nai, Edwin ab Einion, er enghraifft, yn hudo Saeson Mersia i anrheithio'r tiroedd a berthynai iddo yn y dalaith, yn y flwyddyn 992.

Llywelyn ap Seisyll

Un arall o benaethiaid y cyfnod sy'n haeddu'i grybwyll yw Llywelyn ap Seisyll. Nid oedd ganddo ef hawl o gwbl i awdurdod o safbwynt tras, ar wahân i'r ffaith iddo briodi merch Maredudd. Ond gan nad oedd cefnogaeth neilltuol i unrhyw un arbennig yn y cyfnod, llwyddodd Llywelyn, trwy rym, i gipio gorsedd Gwynedd yn y flwyddyn 1018, a dal ei afael arni am bum mlynedd, hyd ei farw. Pan ddigwyddodd hynny, fodd bynnag, ac aml un yn ceisio bod yn olynydd iddo, bu raid i'w fab, Gruffudd, droi'n alltud.

GRUFFUDD AP LLYWELYN

Ei Ieuenctid

Yn ystod ei ieuenctid, yn ôl yr hanes, llanc swrth a diog a'i deulu wedi hen syrffedu arno oedd y Gruffudd hwn. Ac un nos Galan, cafodd ei dafodi yn bur ffraeth gan ei chwaer dafodrydd — 'Dos allan, y diogyn, fel llanciau eraill y fro, ar antur, i ryw fân ladrata, i glustfeinio ar ambell sgwrs ac i lygadrythu trwy ambell fwlch mewn llenni'. Aeth yntau allan o'r tŷ yn gyndyn iawn ac ymuno â chwmni o lanciau direidus. Ac wedi

1

iddynt gyflawni amryw fân branciau, daethant i olwg cegin un o
uchelwyr yr ardal. Yno, roedd cogydd boliog yn ymaflyd â thalpiau o
gig a oedd yn codi, o hyd ac o hyd, i wyneb y crochan. Roedd
yntau'n gwylltio'n gaclwm ac yn dweud: 'Dyma gig rhyfedd; po fwyaf
rwy'n ceisio ei fwrw i'r gwaelod, cyflyma'n y byd mae'n dod i'r wyneb'.
Dysgodd y profiad hwn wers i Gruffudd: nid oedd ef, bellach, am fod
dan draed neb, na'i chwaer na neb arall. O hyn ymlaen, roedd yn ŵr
penderfynol a hunan-hyderus.

Llun 1:   Gruffudd ap Llywelyn yn ei ieuenctid.

Dychwelyd

Bu Gruffudd yn alltud am tua phymtheng mlynedd ac yna penderfynodd ddychwelyd i Gymru yn y flwyddyn 1039, pryd y llofruddiwyd y sawl a oedd yn frenin Gwynedd ar y pryd, gan ei wŷr ef ei hun. Mae sôn, wrth gwrs, fod Gruffudd â'i fys yn y cynllwyn. Gwir neu beidio, fodd bynnag, ef a esgynnodd i orsedd Gwynedd ac etifeddu Powys yr un pryd.

Brwydr Rhyd-y-groes

O'r dechrau, penderfynodd nad oedd y Sais i ddylanwadu ar Gymru yn ystod ei deyrnasiad ef. A chan fod Powys yn etifeddiaeth iddo, teimlai fod ganddo fantais i gael ei big i mewn gyntaf ac ymosod ar ei elynion. Felly, bu brwydr rhyngddo ef a Saeson Mersia yn Rhyd-y-groes, ger y Trallwng, a Gruffudd a orfu. Roedd yn amlwg fod gan y Cymry arweinydd cryf bellach, ac yn wir, ni fentrodd y Saeson ymosod ar ei dir wedyn am gryn amser.

Meddiannu Ceredigion

Ei nod a'i gam nesaf oedd uno Cymru megis y gwnaeth Rhodri a Hywel. Roedd wedi etifeddu'r Gogledd ac ar ffiniau Gwynedd roedd Ceredigion. Rhaid oedd ceisio meddiannu'r ardal honno nesaf. Felly, yn y flwyddyn 1041, goresgynnodd diriogaeth Hywel ab Edwin a chipio ymaith ei wraig. Roedd Hywel yn ddig iawn am hyn a threfnodd gytundeb â'r Llychlynwyr i gyd-ymladd yn erbyn Gruffudd ap Llywelyn. Ond methiant fu'r cynghrair a gorchfygodd Gruffudd y ddwy garfan ar lannau Tywi yn y flwyddyn 1044, a lladdwyd Hywel druan yn y frwydr.

Gruffydd ap Rhydderch

Ond os oedd Gruffudd am gyrraedd ei nod, roedd yn rhaid symud ymlaen eto ymhellach i'r De. Brenin Deheubarth yr adeg hon oedd Gruffydd ap Rhydderch, gŵr cydnerth ac amharod i ildio i unrhyw ormeswr. Ac yn wir, ni lwyddodd Gruffudd ap Llywelyn i'w ddarostwng a bu raid iddo aros hyd farwolaeth Gruffydd ap Rhydderch yn y flwyddyn 1055 cyn cael llywodraethu'r diriogaeth yn gyfan gwbl.

Arweinydd y Cymry

Erbyn hyn roedd Gruffudd yn wir frenin Cymru — roedd wedi etifeddu Gwynedd a Phowys, wedi meddiannu Ceredigion, ac yna wedi sicrhau holl ardaloedd y De o dan ei faner — Dyfed, Ystrad Tywi, gan ychwanegu Morgannwg, Brycheiniog a Gwent at diroedd Rhodri a Hywel.

3

Pryder Gruffudd

Tua chanol y ganrif, fodd bynnag, cyn iddo ei wir sefydlu'i hun yn arweinydd ei genedl, gwyliai Gruffudd yn ofalus bob symudiad a datblygiad ar y gororau ac o fewn tir Lloegr. Mae'n wir ei fod am gael tir Cymru i gyd yn eiddo iddo ef ei hun, ond nid oedd am anwybyddu'r cyfle i ennill tir ar yr ochr arall i Glawdd Offa, pe byddai hynny yn ei ddiogelu yn fwy yn ei safle fel arweinydd y Cymry. Ac roedd yn pryderu braidd pan ddechreuodd Edward Gyffeswr, brenin Lloegr, anrhegu arglwyddi o Normandi, lle treuliodd flynyddoedd lawer, â thiroedd ar y gororau. Pe byddai'r rhain yn anturus ac yn uchelgeisiol, gallent yn hawdd geisio dwyn tiroedd o fewn ffiniau Cymru.

Brwydr Llanllieni

Henffordd oedd man cyfarfod yr arglwyddi hyn a sylweddolodd Gruffudd pa mor beryglus oedd y sefyllfa. Penderfynodd, felly, gymryd y cam cyntaf gan arwain byddin o Gymru dros y ffin ac ennill brwydr waedlyd yn erbyn llu o Saeson a Normaniaid yn Llanllieni (1052).

Ymosod ar Henffordd

Erbyn 1055 roedd Gruffudd wedi cynnull byddin gref iawn ynghyd, yn cynnwys y Cymry teyrngar, Saeson gwrthryfelgar a rhai Llychlynwyr. Dyma'r cyfle i ymosod ar y gororau unwaith eto, ac arweiniodd ei lu i Henffordd, ac yno cipio'r castell, creu difrod yn y ddinas ac ysbeilio'r Eglwys Gadeiriol. Ac er i Harold, Iarll Wessex, arwain byddin yn ei erbyn, llwyddodd Gruffudd i'w wrthsefyll a chadw'r tiroedd a feddiannodd ar y gororau. Yna, cynllwyniodd Esgob newydd Henffordd i ddial ar Gruffudd ond yn ofer, ac erbyn 1057 roedd Gruffudd yn gallu cynorthwyo gelynion Edward Gyffeswr y tu mewn i ffiniau Lloegr.

Dianc

Yn y flwyddyn 1062, gorymdeithiodd Harold gyda'i filwyr o Gaerloyw i Gaer, gan fwriadu dal Gruffudd yn ei gartref yn Rhuddlan. Pan glywodd Gruffudd am hyn, nid oedd ganddo mo'r ynni na'r brwdfrydedd bellach i geisio ailffurfio'i fyddin ar fyrder, a sleifiodd ar fwrdd un o'r llongau a oedd wedi angori gerllaw a hwylio allan i'r môr. Pan edrychodd yn ôl, gwelodd fod y Saeson wedi rhoi ei gartref, bythynnod ei ddilynwyr a'i longau ar dân, a'r fflamau'n cyrraedd yr entrychion.

Harold yn y De

Nid dyna ddiwedd y stori. Ni lwyddodd Harold i ddal Gruffudd ond roedd yn benderfynol o drechu'r Cymry am unwaith ac am byth a

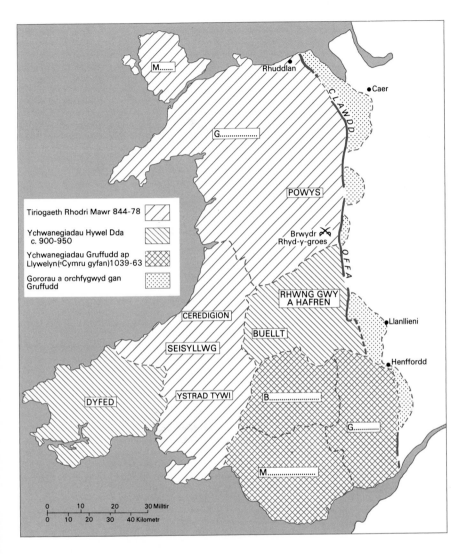

Map 1:   Datblygiad tiriogaethau Rhodri, Hywel a Gruffudd.

chynlluniodd yn ofalus. Roedd ef ei hun a'i ddilynwyr am ymgyrchu
tua De Cymru, a threfnodd i'w frawd, Tostig, Iarll Northumbria, a'i
fintai gyfeirio'u camre tua Gogledd Cymru. Cynullodd Harold ei fyddin
ynghyd ym Mryste a hwyliodd o'r porthladd i arfordir y De. Yno,
cafodd yr argraff fod llawer o'r trigolion yn cenfigennu wrth Gruffudd
ap Llywelyn a'i awdurdod cynyddol, a bod arnynt hefyd dipyn o'i ofn
yntau, Harold. Ni buont yn hir cyn ildio iddo, a daliodd yntau ar y
cyfle i hwylio oddi yno i'r Gogledd.

Goresgyn Môn

Yn y cyfamser, yng ngwanwyn 1063, roedd Tostig wedi cyrraedd
Caer ac ymdeithiodd ar hyd arfordir y Gogledd i gyfeiriad Môn. Ar ôl
datrys y sefyllfa yn y De, hwyliodd Harold hefyd i Fôn a meddiannu'r
ynys. Yna bu'r ddau a'u dilynwyr yn chwilio'n ddyfal am Gruffudd,
ond yn ofer. Erbyn hyn, roedd Cymry'r Gogledd wedi hen flino a
syrffedu ar y brwydro, ac yn awyddus i gyrchu eu cnydau i'r ydlan.
Gwyddent y caent wneud hyn heb i Harold ymyrryd, ond iddo gael
gafael ar Gruffudd.

Marw Gruffudd, 1063

Ond cyndyn iawn oedd y Cymry i fradychu eu harwr, er iddynt hwy
eu hunain orfod dioddef. Bu'r gefnogaeth iddo drwy'r blynyddoedd
mor frwd a'r gymdeithas mor glòs. Yma eto, fodd bynnag, roedd un
dihiryn, fel ymysg cefnogwyr Caradog gynt. Ond roedd hwn yn fwy
beiddgar a brwnt na hwnnw—llofruddiodd Gruffudd ap Llywelyn â'i
law ei hun ac anfon ei ben yn hedd-offrwm i'r Sais goncwerwr. A dyna
ddiwedd un o frenhinoedd mwyaf Cymru.

Bleddyn a Rhiwallon

Blwyddyn drist yn hanes Cymru oedd y flwyddyn 1063. Wedi marw
Gruffudd ap Llywelyn, rhannwyd ei deyrnas rhwng dau hanner-brawd
iddo, sef Bleddyn a Rhiwallon. Wrth gwrs, nid oedd cymaint o
awdurdod ganddynt ag a fu gan Gruffudd, ac yn wir, bu raid iddynt
ildio rhai o'u tiriogaethau i'w gelynion. Nid oeddynt hwy na
phenaethiaid eraill yng Nghymru yn annibynnol mwyach, gan fod rhaid
iddynt yn awr dalu gwrogaeth i frenin Lloegr a bodloni ar fod mewn
cynghrair ag ef.

Gwyliau Harold

Â'r sefyllfa fel roedd hi, yn y flwyddyn 1065, teimlai Harold yr
hoffai dreulio gwyliau yng Nghymru, ym mrôydd Gwent, a chael
mwynhau tawelwch yr ardal a chael hela yma ac acw o bryd i'w gilydd.
Darparwyd tŷ dros-dro i'r Iarll, ac ynddo ddanteithion ac ysblander o
bob math. Ond rhyw noson, cyn iddo gyrraedd, daeth un o
ddisgynyddion brenhinoedd Morgannwg heibio ac anrheithio'r lle. Pan
gyrhaeddodd Harold ei gartref dros-dro a gweld y llanast, aeth o'i gof
yn lân. Hoffai, yn ddiamau, fod wedi dial ar y gwalch a ysbeiliodd ei
dŷ, ond yn sydyn galwyd ef yn ôl i Loegr, gan fod gwrthryfel yn y
gogledd a pherygl ymosodiad gan y Normaniaid yn y de-ddwyrain.

YMARFERION

1. Ceisiwch dynnu llun o Gruffudd ap Llywelyn yn ystod ei ieuenctid direidus.

2. Ysgrifennwch 'Hunangofiant Gruffudd ap Llywelyn' yn ystod blynyddoedd ei awdurdod.

3. Lluniwch siart amser o'r prif ddigwyddiadau ym mywyd Gruffudd.

4. Copïwch Fap 1 gan lenwi'r bylchau a welir arno.

5. Ysgrifennwch nodiadau byr ar:
   - (a) Maredudd ab Owain
   - (b) Llywelyn ap Seisyll
   - (c) Bleddyn a Rhiwallon
   - (ch) Harold yng Ngwent

PENNOD 1

Y NORMANIAID

A.   GORESGYN LLOEGR

Marw Edward Gyffeswr

Bu farw Edward Gyffeswr yn y flwyddyn 1066, ac etholwyd Harold yn ei le yn fuan iawn gan gyngor o wŷr mwyaf blaenllaw'r genedl. Ond roedd gan Edward yn ystod ei fywyd gysylltiadau agos iawn â Normandi, o ochr ei fam, a threuliai gryn amser yno yn ystod ei deyrnasiad fel Brenin Lloegr. Yn y blynyddoedd hynny, efallai, y bu iddo addo'r goron i Wiliam, Dug Normandi ar y pryd, pan fyddai ef farw.

Penbleth i Harold

Roedd gan Wiliam, yn ei dyb ei hun, fwy o sicrwydd na hynny. Rhyw ddwy neu dair blynedd ynghynt, â Harold yn hwylio ym Môr Udd, drylliwyd ei long a gorfu iddo lanio ar arfordir Ffrainc. Tybiai arglwydd yr ardal mai ysbïwr oedd Harold, ac felly taflwyd ef i garchar. Clywodd Wiliam am y digwyddiad a deall ar unwaith mai Harold, Iarll Wessex, oedd y carcharor. Mynnodd Wiliam gael croesawu'r gŵr dieithr i'w lys ei hun. A chyn i Harold gael dychwelyd i Brydain, bu raid iddo dyngu llw mai Wiliam fyddai Brenin Lloegr, wedi marw Edward Gyffeswr.

Harold a Tostig

Â Harold wedi derbyn yr alwad i fod yn frenin gan brif wŷr y deyrnas, nid oedd ei gydwybod yn poeni dim arno, er iddo addo ei gefnogaeth i Wiliam. Ond gwyddai, ar yr un pryd, y byddai ei elyn yn ymosod arno, ac felly dechreuodd baratoi i amddiffyn rhag yr ymosodiad. Pan oedd popeth wedi'i ddarparu, fodd bynnag, dyma Harold yn cael ei alw i'r gogledd. Yno, ychydig amser ynghynt, roedd deiliaid Northumbria wedi gwrthryfela yn erbyn Tostig, brawd Harold, oherwydd ei orthrwm trahaus, ac wedi'i alltudio. Ond pan glywodd Tostig mai ei frawd ef ei hun oedd Brenin Lloegr bellach, teimlai mai dyma'r amser, mewn cydweithrediad â Harold Hadrada, Brenin Norwy, i oresgyn ac i adennill ei hen deyrnas. A glaniodd y ddau a'u minteioedd yng ngogledd Lloegr. Erbyn hyn, fodd bynnag, roedd Harold wedi sylweddoli'r gorthrwm a fu yn y gorffennol yn y dalaith ac roedd ganddo gydymdeimlad mawr â'r deiliaid. Felly, gorymdeithiodd gyda'i fyddin i wynebu ei frawd a Brenin Norwy, a llwyddodd i'w gorchfygu ym mrwydr Stamford Bridge, yn Swydd Efrog.

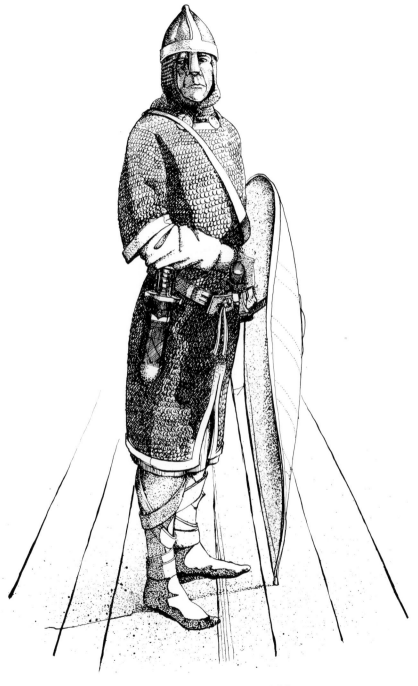

Llun 2:   Milwr Normanaidd.

Wiliam yn glanio

Yn Normandi, bu Wiliam wrthi am fisoedd yn paratoi ar gyfer yr ymgyrch i oresgyn de-ddwyrain Lloegr a chosbi'r Iarll dauwynebog. Cafodd sêl bendith y Pab ar ei fenter gan nad oedd yntau ychwaith yn hoff o'r Saeson ar y pryd, a hwyliodd Wiliam ar draws Môr Udd, gyda'i finteioedd, a glanio yn Pevensey. Roedd Harold ar y pryd, wrth gwrs, yn y gogledd yn dathlu ei fuddugoliaeth, ond pan glywodd y newydd rhuthrodd gyda'i fyddin i wynebu'r gelyn o Normandi, a chyrraedd Hastings mewn pum niwrnod — gorchest go fawr yn y dyddiau hynny.

Trefniant Harold

Cafodd Harold gyfle wedyn i drefnu ei amddiffyniad a lleoli ei gefnogwyr ar ben bryn yn y cyffiniau. Gosododd ei filwyr gorau yn y canol mewn rhengoedd, wedi eu harfogi â helmydd a chotiau cadwyn; eu prif arfau oedd bwyeill, cleddyfau llydain a gwaywffyn trymion, ac i'w hamddiffyn eu hunain roedd ganddynt darianau ar ffurf barcut. Ond ar y ddwy asgell, lle bu raid i Harold osod lluoedd o wŷr dibrofiad a oedd wedi dod, yn eu brwdfrydedd i'w gefnogi, o'r meysydd a'r caeau, yr oedd y gwendid.

Dull y Normaniaid o ymladd

Dull mwy diweddar o ymladd a oedd gan y Normaniaid, dull a fabwysiedid bellach ar y Cyfandir. Yn gyntaf, gyrru'r gwŷr traed ar y blaen, i wanhau'r gelyn â chawod o saethau. Ac i'w dilyn, y gwŷr meirch, eu milwyr gorau, â helmydd ac arfogaeth debyg i'r Saeson, a'r waywffon hir yn brif arf, er bod ganddynt gleddyfau miniog yn ogystal.

Brwydr Hastings, 1066

Dyma ddechrau'r frwydr! Roedd Harold a'i ddilynwyr mewn safle di-syfl ac er i'r Normaniaid ymosod ac ymosod, troi'n ôl fu raid bob tro. Ond gŵr ystrywgar a chyfrwys oedd Wiliam, Dug Normandi, a chymerodd arno wrthgilio gyda'i fyddin. Gorchmynnodd Harold ei filwyr i aros ar ben y bryn, ond yn ofer — roeddynt yn credu bod rhaid ymlid y Normaniaid i sicrhau buddugoliaeth. Ond pan gyrhaeddwyd tir gwastad, dyma'r gelyn yn troi'n ôl a'r Saeson yn cael eu gyrru ymaith a'u lladd wrth y cannoedd. Ymlaen â'r Normaniaid hyd at fryn Senlac lle'r oedd Harold a'i filwyr disgybledig o hyd. Ond ychydig o'r rhain a oedd ar ôl, bellach, ac wrth i'r gelyn anelu eu saethau i'r awyr i ddisgyn ar y Saeson, trawodd un ohonynt Harold yn ei lygad a disgynnodd yn farw i'r llawr. Dyna ddiwedd y frwydr.

Ymgyrch gyntaf Wiliam ym Mhrydain

Ar 17 Hydref, 1066, y bu Brwydr Hastings, ac yn awr rhaid oedd i Wiliam ei sefydlu'i hun yn Lloegr. Nid gwaith hawdd oedd brwydro ymlaen i Lundain, canolfan y deyrnas, a chael ei gydnabod yn frenin y wlad. Cychwynnodd y fyddin ar ei thaith a gorfu iddi ymladd yn erbyn y brodorion, yma ac acw: o Hastings ymlaen — Rye — Romney — Lympne — Dover — Barham — Caergaint (lle bu Wiliam yn wael am fis) — Charing — Hollingbourne — Otford — Dorking — Farnham — Caerwynt — Whitchurch — Newbury — Wallingford — ac yna, croesi afon Tafwys i Wycombe — Berkhamsted — St. Albans — nes cyrraedd Llundain. Dyna daith y Normaniaid ar ôl eu buddugoliaeth a chafodd Wiliam ei goroni yn Frenin Lloegr yn y brifddinas ar ddydd Nadolig 1066.

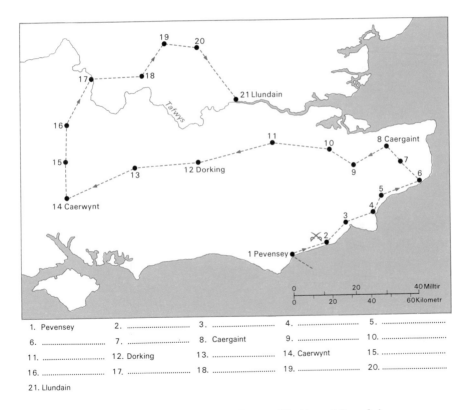

1. Pevensey   2. ....   3. ....   4. ....   5. ....
6. ....   7. ....   8. Caergaint   9. ....   10. ....
11. ....   12. Dorking   13. ....   14. Caerwynt   15. ....
16. ....   17. ....   18. ....   19. ....   20. ....
21. Llundain

Map 2:   Taith byddin Wiliam o Hastings i Lundain.

Brodwaith Bayeux

Wedi buddugoliaeth Wiliam brodiwyd hanes y goncwest ar stribyn o liain, 69.3 m o hyd a 7.8 cm o led. Hwn yw brodwaith Bayeux a

Y Normaniaid yn darparu - torri coed ac adeiladu llongau.

Glanio yn Pevensey.

Y fuddugoliaeth, a'r Saeson ar ffo.

Llun 3:   Brodwaith Bayeux.

disgrifia'n llawn mewn lluniau yr holl hanes, o'r amser y bu Wiliam a'i ganlynwyr yn paratoi am fisoedd cyn yr ymosod, hyd at y fuddugoliaeth derfynol yn Hastings. Yn ôl un traddodiad gwraig Wiliam, sef Matilda, ynghyd â'i llawforynion, a'i lluniodd. Mae'n waith hardd dros ben, a rhaid rhoi enghreifftiau ohono yma, ynghyd â theitl i bob un ohonynt.

12

B.   YMSEFYDLU YN LLOEGR

Wedi i Wiliam gael ei goroni'n swyddogol, aeth ati i ymsefydlu ac i ddarostwng pob Sais a oedd yn anfodlon plygu i'w drefn. Roedd amryw o'r rhain, ond yr enwocaf o'r cwbl oedd gŵr o'r enw Hereward a achosodd gryn drafferth am flynyddoedd i frenin newydd Lloegr, yn nwyrain y wlad. Ond bradychwyd hwnnw, fel llawer o arwyr y cyfnod, gan ryw ddihiryn ac yn wir, ymhen wyth mlynedd, roedd Wiliam Goncwerwr wedi ei sefydlu'i hun yn frenin.

Trefn Wiliam Goncwerwr

Ond teimlai fod gwaith mawr yn ei aros o hyd. Rhaid oedd rhoi trefn ar y wlad a'i chynllunio ar ddulliau ffiwdal y gwyddai ef yn dda amdanynt. Bu rhai gwŷr o Normandi yn deyrngar iawn iddo a rhaid oedd eu cydnabod â thiroedd toreithiog yn Lloegr, gan eu bod yn barod i'w gefnogi eto yn y gwaith o ymsefydlu. Yn ôl cyfundrefn Wiliam, prif-ddeiliaid oedd y rhain, a disgwyliai'r brenin iddynt gadw trefn yn eu hardaloedd a rhoddodd hawl iddynt, hefyd, i godi cestyll yn gartrefi. Ac eto, rhag iddynt fabwysiadu gormod o awdurdod, a'i fygwth mewn unrhyw fodd, sicrhaodd fod eu tiroedd ar chwâl drwy'r wlad. Wiliam oedd y meistr yn y pen draw, a phan sylweddolai'r prif-ddeiliaid hyn, byddent yn ailosod eu tiroedd yn y rhannau eraill o'r wlad i farchogion blaenllaw. Ffurfiai'r rhain faenor neu bentref lle'r oedd eu hawdurdod hwy gymaint ag eiddo'r prif-ddeiliaid. Y marchog, bellach, oedd arglwydd y faenor a chanddo ddeiliaid (neu bentrefwyr) yn barod i'w wasanaethu.

Y pedwar dosbarth o ddeiliaid

Roedd pedwar dosbarth o'r rhain: (a) *Gwŷr Rhydd* a dalai arian neu dda i'w harglwydd am eu breintiau; (b) *Taeogion* — gwŷr a oedd yn gorfod rhoi cydnabyddiaeth i'w harglwydd am eu rhandiroedd, lle y byddent hwy yn cael yr elw, trwy ei wasanaethu ef ar dir y faenor ar ddyddiau penodol yn ystod yr wythnos; (c) *Bileiniaid* neu *Dyddynwyr*, a oedd yn gyfrifol am stribedi llai o dir o gwmpas eu cartref, ond a oedd ar gael ar unrhyw adeg o'r flwyddyn, i lafurio ar dir arglwydd y faenor, neu i'w wasanaethu; (ch) *Y Caethion*. Y rhain oedd y dosbarth isaf yn y gymdeithas. Caethweision oeddynt yn wir, a gellid eu prynu a'u gwerthu yn ôl y gofyn ar y pryd. Roedd Wiliam Goncwerwr mor ofalus, fodd bynnag, ynglŷn â'i gyfundrefn, nes iddo sicrhau bod y pedwar dosbarth hyn hyd yn oed yn atebol iddo ef fel brenin. Roedd hyn yn wahanol i'r gyfundrefn ar y Cyfandir: yno, bod yn atebol i'r prif-ddeiliaid yn unig oedd raid iddynt.

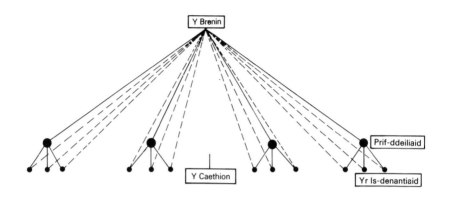

Llun 4:   Ffiwdaliaeth ym Mhrydain.

Roedd pawb yn atebol i'r brenin yn ôl y ffiwdaliaeth hon.

Llyfr Dydd y Farn

Dyma oedd y gyfundrefn ond nid oedd Wiliam am gael ei dwyllo mewn unrhyw fodd gan hyd yn oed ei brif-ddeiliaid. Rhaid oedd iddynt hwy yn awr, bob un ohonynt, lunio rhestr fanwl o'u deiliaid, eu gosgordd, nifer eu hanifeiliaid, y math o offer a oedd ganddynt a mesuriadau eu tir. Croniclwyd y wybodaeth hon i gyd mewn llyfr o'r enw Llyfr Dydd y Farn. Gwawdlyd a chellweirus, efallai, yw'r teitl, ond ar yr un pryd, rhaid dweud mai gŵr trylwyr, gofalus a threfnus oedd Wiliam Goncwerwr.

C.   CYMRU: PROBLEM ARALL I WILIAM GONCWERWR

Cynllun Wiliam

Sylweddolai Wiliam fod ganddo wlad arall a chenedl arall i'w concro heblaw Lloegr a'r Saeson, cyn y gallai fod yn sicr o'i safle yn Ynys Prydain. Gwlad fynyddig! Cenedl wydn! Nid tasg hawdd fyddai gorchfygu'r wlad na darostwng ei phobl. Rhaid oedd cynllunio ar unwaith cyn gorffen ei waith o ymsefydlu yn Lloegr. Felly, credai mai'r cynllun gorau fyddai penodi tri barwn profiadol i fod yn gyfrifol am Gymru — un yn y Gogledd, un yn y Canolbarth ac un yn y De — ac addo iddynt y tiroedd y byddent yn eu gorchfygu yn y wlad.

14

Midelsexe

TERRA S[AN]C[T]I PETRI WESTMON[ASTERII]

Llun 5: Clawr Llyfr Dydd y Farn a thudalen ohono.

Huw Flaidd yng Nghaer

Caer oedd y ganolfan yn y Gogledd a Huw Flaidd oedd dewis Wiliam i weithredu o'r fan hon. Gŵr ffiaidd, brwnt, diegwyddor oedd hwn, gŵr a oedd yn rhoi er mwyn derbyn, ac yn barod bob amser i lwgrwobrwyo bradwr. Gwŷr tebyg iddo oedd ei ddilynwyr - ysbeilwyr, parod i'w ddilyn â hebog a helgi, gan anrheithio tir cyfaill yn ogystal â thir gelyn, er mwyn elwa. Ei is-gapten yn yr ymgyrch yng Ngogledd Cymru fyddai Robert Rhuddlan, gŵr a oedd wedi ymgartrefu yn y dref honno yn gynnar iawn yn y cyfnod.

Roger Trefaldwyn yn Amwythig

I gadw golwg ar Bowys a Hafren Uchaf, penodwyd Roger Trefaldwyn yn brif farwn, ac Amwythig oedd canolfan ei awdurdod ef. Gŵr galluog ydoedd, yn fwy ystrywgar a chyfrwys na Huw Flaidd a'r gallu ganddo i gynllwynio'n fileinig a chyffroi ei wŷr i weithredu'n ysgeler. Ond am ei wraig, Mabel, roedd honno'n waeth fyth; un fechan ond yn fwrlwm o ynni, un greulon ddigydwybod a geisiai, ar brydiau, annog ei chyfoeswyr i newid eu ffyrdd, ond ar adegau eraill byddai'n cynnal gwledd rodresgar i wenwyno ei gwrthwynebwyr.

Henffordd: Wiliam Fitzosbern

Henffordd oedd trydedd ganolfan y Normaniaid i oresgyn Cymru ac yma penododd y Concwerwr berthynas iddo, Wiliam Fitzosbern, i ofalu am yr ymgyrch yn y De. Milwr profiadol oedd hwn â'i fryd ar ormes, ac ynddo awch parhaus am gyfoeth ac awdurdod. O flaen Fitzosbern roedd bryniau a dyffrynnoedd Brycheiniog ac oddi yno lwybr i Ddeheubarth a Cheredigion. Ni fyddai goresgyn y rhanbarthau hyn a darostwng y trigolion yn anodd o gwbl, yn ei dyb ef, ac awchai am y cyfle i gyflawni'r dasg.

Caer, Amwythig a Henffordd oedd canolfannau'r Normaniaid i ymestyn eu gafael ar Brydain i gynnwys Cymru. Dyma'u cynlluniau, fel y dengys y map: (i) *Yn y Gogledd* — Huw Flaidd i arwain ei osgordd ar hyd y glannau o Gaer i Ruddlan, ac ymlaen wedyn i Benmaen-mawr, lle byddai'r tir isel yn gul ac yn beryglus i oresgynnwr, ac yna i Gaernarfon; (ii) *Yn y Canolbarth* — cychwyn o Amwythig a chroesi Clawdd Offa i Drefaldwyn gan gadw ar hyd y dyffryn drwy'r Drenewydd nes gorfod esgyn wedyn i dir uwch er mwyn ceisio anelu am Benfro; (iii) *Yn y De* — gan gychwyn o Henffordd, Fitzosbern i deithio drwy'r dyffrynnoedd i gyfeiriad yr arfordir, a gosod y Normaniaid mewn gwahanol leoedd ar hyd yr arfordir. Gallai'r rheini

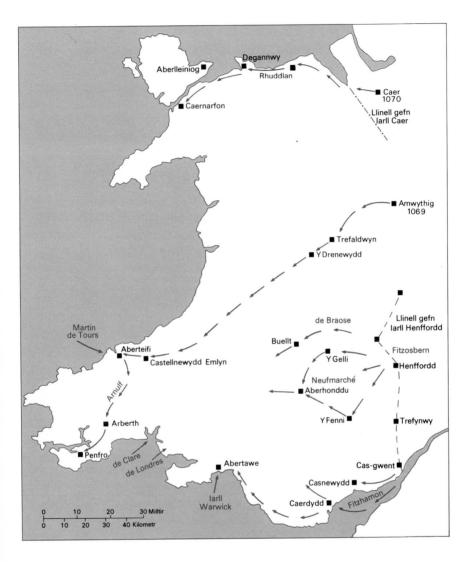

Map 3:   Cynllun ymosod y Normaniaid.

wedyn ymosod ar y Cymry o dro i dro. Dyma yn wir a fu o flwyddyn
i flwyddyn, hyd at y ddeuddegfed ganrif, er enghraifft, ymgyrchoedd
Fitzhamon.

CH. SEFYDLIADAU NORMANAIDD

(i) Cestyll

Cestyll Cymreig

Rhaid cofio bod cestyll wedi cael eu codi gan y Cymry cyn dyfodiad y Normaniaid i'r wlad, ac yn sicr, bu cryn adeiladu ar gestyll Cymreig ar ôl 1066, a'r Cymry'n ddeheuig iawn yn dilyn yn ôl camre'r goresgynwyr gan ddysgu llawer ganddynt. Cestyll Cymreig oedd Degannwy, Madrun a Deudraeth (yn Llŷn ac Eifionydd), Dolbadarn (Llanberis), Dolwyddelan (ger Aberconwy) a Dinas Brân (ger Llangollen). Adeiladodd Owain Gwynedd gastell Rhodwydd-yn-Iâl ac adeiladwyd castell Mathrafal gan dywysog ym Mhowys yn y ddeuddegfed ganrif. Llywelyn Fawr, wedyn, yn codi castell Aberystwyth a'i ŵyr, ein Llyw Olaf, yn adeiladu castell Dolforwyn. Yn y Deheudir, codwyd cestyll Cymreig gwych o wneuthuriad graenus â chadernid ac urddas a diwylliant aruchel yn eu nodweddu. Nid rhyfedd hynny gan mai'r Arglwydd Rhys a gododd y tri chastell hynotaf yn y rhanbarth hwn, sef cestyll Dinefwr, Dryslwyn a Charreg Cennen.

Cyngor Wiliam i'w farwniaid

Ond roedd y Normaniaid yn hen feistri ar y grefft o adeiladu castell. Teimlai Wiliam y byddai'n rhaid i'r barwniaid a benododd ef i ymgyrchu yng Nghymru fod yn wyliadwrus er mwyn ymsefydlu yn y wlad, a chadw'r tiroedd a ddôi i'w meddiant. Ac roedd gan y brenin gynghorion pendant ar eu cyfer. Byddai'n rhaid iddynt, yn ddiamau, ymladd hyd at waed yn erbyn y Cymry a phe digwyddai iddynt lwyddo mewn brwydr ac ennill tir, y peth doethaf, wedyn, fyddai adeiladu castell, iddo fod yn gartref i'w teuluoedd ac i'w dilynwyr, er lles a diogelwch pob un ohonynt.

Castell mwnt a beili cynnar

Er bod yna eisoes gestyll yng Nghymru, wedi eu hadeiladu gan y trigolion, ar ôl y flwyddyn 1070 teimlai'r Normaniaid mai hwy bellach oedd y meistri ac nad oedd eu tebyg am saernïo cestyll pwrpasol. Dilynodd y barwniaid a ddaeth i Gymru, felly, gyngor eu brenin. Ar y dechrau, rhaid oedd iddynt godi eu cestyll ar frys — cestyll mwnt a beili. Canfod bryn â thomen yn ei ymyl oedd y cam cyntaf. Os nad oedd y fath domen ar gael, rhaid oedd codi twmpath addas trwy gasglu cymaint o bridd ag y gellid ar ei gyfer. Adeiledid y castell wedyn, gan ddefnyddio pren yn unig; yna, wedi casglu'r holl ddefnyddiau'n

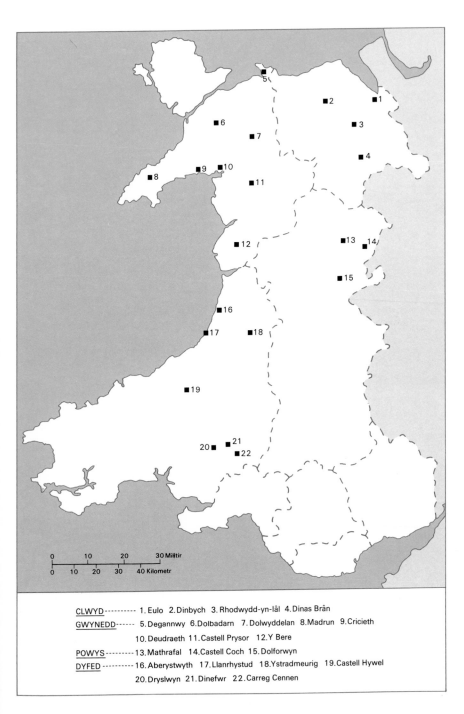

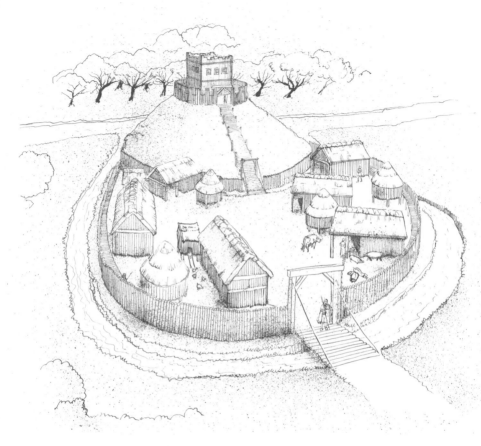

Llun 6:   Castell mwnt a beili cynnar.

drefnus, cloddid ffos yn amddiffynfa rhag ymosodiadau. Dyma'r math o gastell a godwyd gyntaf gan y Normaniaid yng Nghymru.

Ar y mwnt, codid adeilad ar ffurf twr â phalis o'i gwmpas, a phren oedd yr holl ddeunydd. Roedd y 'beili' ar dir is, ond cysylltid y ddwy ran gan bont godi, palis o goed eto o gwmpas y 'beili' a chlawdd pridd yn amddiffynfa.

Peryglon

Roedd peryglon i'r preswylwyr mewn castell o'r math hwn. Y cyntaf oedd pergyl tân. Gallai ymosodwyr daflu ffaglau tanllyd dros y gwrthgloddiau ac achosi coelcerth. Gofalai'r rhan fwyaf o'r arglwyddi Normanaidd, felly, fod ganddynt ffynnon y tu mewn i'w cynteddoedd a chyflenwad sylweddol o ddŵr i ddiffodd unrhyw dân a gyneuid. Yr ail

20

Llun 7:   Castell mwnt a beili carreg.

berygl oedd gwarchae. Byddai ffoi i geisio cymorth yn anodd hyd yn oed i unigolyn heb i rywun neu'i gilydd ei ddarganfod, gan fod safle'r castell ar godiad yn y tir ac mewn lle mor amlwg. Rhag ofn y ceid gwarchae, felly, trefnid, bob amser, fod darpariaeth dda o fwyd a diod wrth law i bawb, a digon wrth gefn.

Cestyll o garreg

O dipyn i beth, a'r Normaniaid yn cael ychydig mwy o hamdden rhag gorfod brwydro, penderfynwyd codi cestyll cadarnach, a defnyddio carreg yn hytrach na phren yn yr adeiladwaith. Yn y cestyll hyn roedd y garreg yn y muriau gymaint â phum troedfedd o drwch, a lle'r oedd cestyll pren yn bod gynt, gosodid cragen o garreg dros y defnydd gwreiddiol.

Y Tŵr

Y mwnt oedd rhan bwysicaf y castell ac arno y codid *y tŵr*, cartref yr arglwydd, ei deulu a'i filwyr profiadol. Ar y brig roedd bylchau'r gaer, ac yna: (i) un llawr yn is, roedd ystafelloedd y milwyr ac yno y byddent yn bwyta, yn creu eu hadloniant eu hunain ac yn cysgu; (ii) ar y llawr nesaf, roedd yr arglwydd a'i deulu yn byw bywyd i'r eithaf — ceid neuadd wych yma lle y croesawai ef ymwelwyr pwysig a chyfeillion agos, a chynnal ambell wledd i ddathlu rhyw ddigwyddiad arbennig; (iii) ar lawr yn is roedd ystafell warchod, ac weithiau, yn arwyddocaol ddigon, byddai capel yn ymyl, lle'r oedd gobaith achub eneidiau; (iv) yna, ar y llawr isaf, roedd yr ystordy, lle cedwid bwyd ac arfau; (v) ac yn is eto, y ddaeargell, lle y bwrid drwgweithredwyr. Rhaid cofio bod y milwyr yn y tŵr yn gorfod bod ar wyliadwriaeth o bryd i'w gilydd yn ogystal â chyflawni dyletswyddau arbennig eraill. Un o'r rhain oedd gwylio rhag unrhyw ymosodiad ac i'r pwrpas hwn roedd bylchau hir a chul wedi eu llunio yn y muriau.

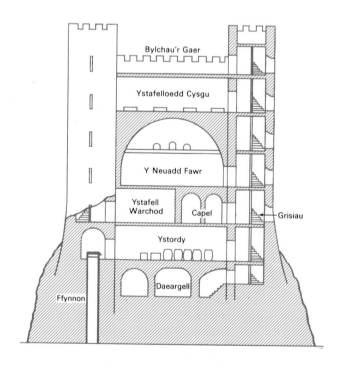

Llun 8:   Y Tŵr.

Llun 9:   Y Porthcwlis.

Yr Amddiffynfa

Byddent ar ddyletswydd bob hyn a hyn, ond pan fyddai'r gelyn ymhell gallent dynnu llenni trwchus dros y bylchau a chael cyfle i hamddena a mwynhau eu hunain. Roeddynt yn gyfrifol, fodd bynnag, am y bont-godi a'r porthcwlis. A phan fyddai'r arglwydd oddi cartref ar brydiau byddai'n anodd penderfynu a ddylid derbyn crwydryn neu gymydog neu gynghreiriaid i gynteddau'r castell.

Y Beili

Yn y rhan arall o'r castell roedd *y beili*, ac yn y fan hon roedd barics y milwyr cyffredin, y stablau, gweithdy i lunio ac i finiogi arfau, gefail y gof ac ystordai lle cedwid bwydydd, teisi ŷd a gwair, yn ogystal â chelfi o bob math ac arfau rhyfel. Weithiau, deuid o hyd i ambell feili 'mewnol' lle'r oedd gardd lysiau doreithiog, perllan fach o goed ffrwythlon, a rhodfa breifat, ramantus a braf i'r pennaeth a'i gyfeillion agos ei throedio yn ystod oriau hamdden.

23

(ii) Maenorau

Onid oedd ymosodwr Normanaidd yn manteisio ar ei gyfle i adeiladu castell yng Nghymru, cyngor Wiliam iddo oedd iddo drefnu ei faenor ei hun ar y tir. Ond nid oedd hyn mor hawdd yma, â'r wlad mor rhanedig, mor wasgarog a mynyddig. Felly, dim ond ar y gororau, gwastadeddau'r Deau, ac yma ac acw ar wastadedd y Gogledd, y llwyddodd y Normaniaid i drefnu maenor (neu bentref) yn ôl eu dull arferol hwy yng Nghymru.

Llun 10: Maenordy.

Y Maenordy

Y peth cyntaf i'w wneud oedd adeiladu'r *maenordy*. Hwn fyddai cartref y barwn neu'r pendefig. Tŷ o garreg ydoedd ac iddo ddau lawr. Ar yr uchaf o'r ddau byddai'r neuadd, ac yn un pen i hon codid llwyfan lle byddai'r arglwydd a'i deulu yn bwyta wrth fwrdd mawr yn llawn o ddanteithion. Ar y llawr islaw y byddai'r gweision yn bwyta, ac wedi cau'r llenni ar y nos, yno y byddent yn cysgu hefyd. Ar y llawr hwn, yn ogystal, byddai ystafelloedd preifat yr arglwydd a'i deulu, ac un ohonynt ar ochr heulog y tŷ: hon oedd ystafell wely'r penteulu a'i briod. Yna, ar y llawr nesaf, o dan y neuadd, byddai ystordai yn llawn o gynnyrch y cynhaeaf blaenorol.

24

Y tri phrif faes

Y cam nesaf oedd darparu a threfnu'r tir o gwmpas y maenordy. Rhaid oedd dewis tri maes gweddol fawr i ddechrau, a defnyddio'r rhain i dyfu cnydau o flwyddyn i flwyddyn, ac er mwyn gwneud y defnydd gorau o bob un credid mai peth doeth fyddai gadael un ohonynt yn segur bob tair blynedd. Dyma oedd y cynllun:

Y Flwyddyn Gyntaf: Maes 1 - Gwenith neu haidd; Maes 2 - Ceirch; Maes 3 - Segur.

Yr Ail Flwyddyn: Maes 1 - Ceirch; Maes 2 - Segur; Maes 3 - Gwenith neu haidd.

Y Drydedd Flwyddyn: Maes 1 - Segur; Maes 2 - Gwenith neu haidd; Maes 3 - Ceirch.

Rhennid pob un o'r meysydd yn stribedi, a gwahanol lafurwyr y faenor â gofal personol am bob un, ond roedd holl gynnyrch y meysydd hyn yn eiddo arglwydd y faenor.

Meysydd eraill

Ar y faenor, yn ogystal â'r tri maes yma, roedd meysydd eraill — y cae gwair i ddarparu ymborth i'r anifeiliaid yn ystod misoedd y gaeaf, y tir comin i fwydo'r anifeiliaid trwy gydol y flwyddyn, a rhyw goedwig fechan ar y cyrion i'r moch gael ymdrybaeddu yn y baw yno a chael eu gwala a'u gweddill.

Cartrefi'r pentrefwyr

Yma ac acw ar y faenor roedd tyddynnod wedi eu hadeiladu i'r pentrefwyr. Cartrefi digon llwm oedd y rhain — y mur o wiail a chlai, y to o wellt neu frwyn, ac un ffenestr fach neu fwlch yn unig i roi goleuni i'r preswylwyr. Nid oedd llawer o ddodrefn a chelfi i baratoi bwyd ganddynt, a'u hymborth, fel arfer, oedd bara ceirch, potes ac ychydig o gig, a chwrw neu ddŵr yn ddiod feunyddiol.

Yr Eglwys ac adeiladau eraill y faenor

Ar bob maenor, neu ym mhob pentref Normanaidd, adeilad pwysig iawn oedd yr eglwys, a'r offeiriad oedd yn gyfrifol am y gwasanaethau a gynhelid yn yr adeilad hwnnw. Roedd gan yr offeiriad ei ddyletswyddau bugeiliol hefyd — ymweld â'r cleifion a chydymdeimlo â hwy, sgwrsio â'r rhai anghenus a cheisio datrys eu problemau, a chyfrannu o'i ddoniau i gymdeithas yr ardal. Yn ogystal â'r eglwys, roedd adeiladau eraill ar y stad — melin ddŵr, gefail y gof a chwt y teiliwr. Cymdeithas hunan-gynhaliol oedd hon ac yn eithaf bodlon ar ei byd, ac eithrio un ddyletswydd nad oedd wrth fodd y deiliaid — hyfforddiant milwrol. Wedi'r cwbl, roeddynt i gyd yn atebol i'r

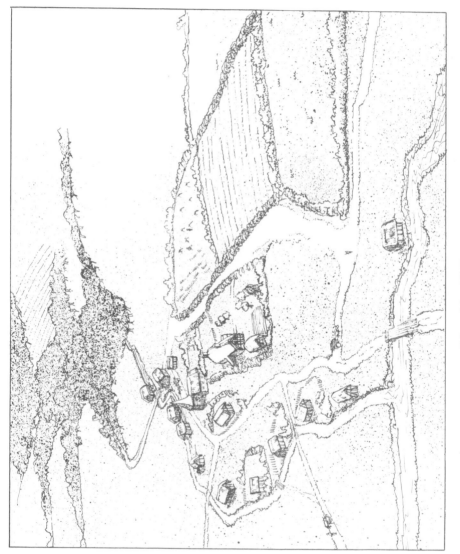

Llun 11: Y Faenor.

arglwydd, a hwnnw, efallai, yn atebol i brif-ddeiliad mewn rhan arall o'r wlad, a hwnnw yn ei dro i'r brenin ei hun. A'r brenin yn gorchymyn bod angen hyfforddi digon o wŷr cryfion ym mhob rhan o'r wlad i frwydro ar ei ran, pe bai raid.

Maenorau gwahanol yng Nghymru

Roedd maenorau Cymru dipyn yn wahanol i'r rhai a welid gan y Normaniaid yn Lloegr ac ar y Cyfandir. Ond roedd un peth yn gyffredin. Lleolid y faenor bob amser ar lan afon er mwyn sicrhau bod cyflenwad digonol o ddŵr i'r stoc, ac ar gyfer y cnydau pe digwyddai tywydd sych di-dor. Ac wrth gwrs, pe byddai afon yn ymyl roedd yn galluogi'r pentrefwyr i bysgota ac ennill pryd o fwyd yn sgîl hynny. Ond rhaid cofio bod y faenor yng Nghymru yn fwy gwasgarog a'r tyddynwyr yn fwy ar chwâl. Nid oedd cyfundrefn y 'tri maes' ychwaith mor gyffredin yn ein gwlad ni. Ac wrth gwrs, roedd Hywel Dda wedi cynllunio cyfundrefn led-debyg flynyddoedd lawer ynghynt, ac ni welai'r goresgynwyr fod angen newid y drefn.

YMARFERION

1. Pam y digwyddodd Brwydr Hastings? Chwilotwch am gymaint o luniau o arfau'r cyfnod ag y gellwch a chopïwch y rhain yn eich llyfrau.

2. Copïwch Fap 2 gan nodi'r enwau priodol yn yr allwedd.

3. Dewiswch olygfa a bortreadir ym Mrodwaith Bayeux. Copïwch yr olygfa gan roi disgrifiad dramatig o'r sefyllfa.

4. Ymchwiliwch i hanes rhamantus *Hereward the Wake*.

5. Disgrifiwch, trwy gyfrwng lluniau, drefn ffiwdal Wiliam Goncwerwr.

6. Lluniwch sgwrs ddychmygol a allai fod wedi digwydd yng nghartref un o'r tri barwn a benododd Wiliam I i ymgyrchu yng Nghymru, cyn iddynt fentro ar eu gorchwyl.

7. Copïwch Fap 4 gan nodi lleoliad prif gestyll Cymreig y Canol Oesoedd. Ysgrifennwch enwau'r cestyll ar y map.

8. Gwnewch fodel o Gastell Mwnt a Beili.

9. Dychmygwch eich bod yn byw ar faenor yn y Canol Oesoedd. Disgrifiwch y faenor gan sôn yn arbennig am fywyd beunyddiol yno.

10. Dewiswch unrhyw lun a ddangosir yn y bennod hon, ac ar bapur arlunio mawr, ceisiwch ei gopïo, ac, efallai, ychwanegu manylion ato. Gall y llun gorffenedig, wedyn, gael ei arddangos.

PENNOD 2

CYMRY ENWOG Y CYFNOD NORMANAIDD

Erbyn 1070 roedd Wiliam Goncwerwr wedi llwyddo i orchfygu Lloegr a chyrraedd Caer, ac roedd yn barod i oresgyn Cymru o'i dair canolfan ar y gororau — Henffordd, Amwythig a Chaer ei hun. Ond gwlad ranedig oedd Cymru unwaith eto a heb fod yn barod i wynebu lluoedd estron. Yn y cyfnod wedi marw Gruffudd ap Llywelyn, roedd gan Bleddyn, ei hanner-brawd, ryw fath o flaenoriaeth ar benaethiaid y Cymry. Ond yn y flwyddyn 1070, hyd yn oed, bu gwrthryfel (aflwyddiannus, mae'n wir!) yn ei erbyn o du Maredudd ac Idwal, meibion Gruffudd, a heb os, digon bregus oedd ei afael ar Gymru yn gyffredinol. Gwŷr Powys oedd y rhai mwyaf teyrngar a chefnogol iddo, ac yno y penderfynodd ymsefydlu, er ei fod yn frenin Gwynedd hefyd, ac mewn enw yn llywodraethu tiriogaethau yn y Deheudir. Ond nid oedd gan drigolion y cymdogaethau hyn lawer o ffydd ynddo. Ac yn wir, pan ddechreuodd yr ymgyrch Normanaidd yn y Gogledd a Robert Rhuddlan yn ymlid Bleddyn, gan ddwyn ei ysbail ac yntau'n ffoi i'r De, cafodd ei lofruddio yno gan ei gydwladwyr o Ystrad Tywi, ym 1075.

A. GRUFFUDD AP CYNAN

Trahaearn ap Caradog

Olynydd naturiol Bleddyn oedd ei nai, Trahaearn ap Caradog, arglwydd Arwystli, cymdogaeth gymharol fechan yn y Canolbarth. Roedd hwn yn ŵr llawn egni a brwdfrydedd ac yn abl i ddenu gwŷr i'w ganlyn. Llwyddodd, er enghraifft, i ddial am lofruddiaeth ei ewythr ar wŷr Ystrad Tywi ym Mrwydr Gwdig yn y flwyddyn 1078.

Gruffudd yn Iwerddon

Ond yn Iwerddon roedd gŵr arall â'i fryd ar fod yn dywysog Cymru — gŵr o'r enw Gruffudd ap Cynan. Cawsai ei daid, Iago ab Idwal, ei lofruddio a bu raid i'r teulu ddianc dros y môr i Iwerddon. Yn eu mysg roedd Cynan, tad ein harwr, ac yn Nulyn yr ymsefydlodd a phriodi merch o'r enw Rhagnell o deulu brenhinol y Llychlynwyr a lywodraethai'r rhan honno o'r wlad ar y pryd. Bu farw tad Gruffudd pan oedd yn ifanc ond gan ei fod yn ddisgynnydd i Rhodri Mawr, ni pheidiai ei fam â'i atgoffa mai ganddo ef, bellach, yr oedd yr hawl i deyrnas Gwynedd.

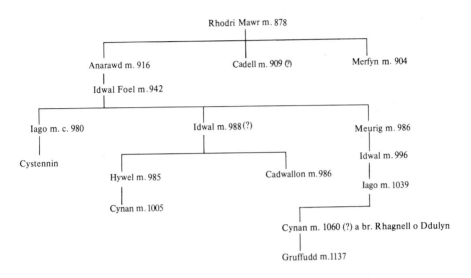

Rhodri Mawr m. 878

Anarawd m. 916   Cadell m. 909 (?)   Merfyn m. 904

Idwal Foel m. 942

Iago m. c. 980   Idwal m. 988 (?)   Meurig m. 986

Cystennin   Idwal m. 996

Hywel m. 985   Cadwallon m. 986   Iago m. 1039

Cynan m. 1005

Cynan m. 1060 (?) a br. Rhagnell o Ddulyn

Gruffudd m. 1137

Llun 12: Llinach Gwynedd.

Gruffudd a gwŷr Gwynedd

Un diwrnod, wedi iddo ennyn digon o hyder gogyfer â menter o'r fath, casglodd ynghyd fintai o Wyddelod cyhyrog a Llychlynwyr anturus a hwylio i Ynys Môn. Yno, cyfarfu ag amryw o wŷr blaenllaw Gwynedd a chynnal rhyw fath o gynhadledd â hwy, a'r cwestiwn pwysig oedd — 'Pa un ai ef neu ynteu Trahaearn a roddai'r arweiniad gorau iddynt fel Cymry yn erbyn y Normaniaid?' Roedd llawer o'r Cymry'n croesawu Gruffudd ac yn addo ei gefnogi i etifeddu Gwynedd, ond nid oedd eraill mor siŵr a oeddynt yn barod i ymladd o'i blaid yn erbyn Trahaearn, a fu'n trigo yng Nghymru ar hyd ei fywyd.

Ymweliad â Rhuddlan

Sylweddolai Gruffudd nad oedd y Cymry yn unfryd o'i blaid, ac felly roedd yn rhaid iddo chwilio am ffynhonnell arall i gryfhau ei finteioedd, er mwyn llwyddo yn ei ymgyrch. Yn rhyfedd iawn, hwyliodd o Fôn i Ruddlan — o bob man — lle'r oedd Robert, is-swyddog Huw Flaidd, Caer, yn byw. Dyma'r lle mwyaf annisgwyl i gael unrhyw gymorth, ond yn rhyfedd iawn cydsyniodd ceidwad castell Rhuddlan i drigain o'i wŷr arfog ymuno â byddin Gruffudd ap Cynan. Hwyliodd yntau ymaith gyda'r gwŷr a chyda'i luoedd o Iwerddon a'r Cymry a'i cefnogai. Gorchfygwyd Trahaearn a meddiannwyd y deyrnas gan Gruffudd. Wrth gynnig rhoi cymorth

29

i Gruffudd, efallai i Robert feddwl mai mantais iddo ef fyddai i'r Cymry
ymladd yn erbyn ei gilydd ac efallai mai dyna pam y cytunodd i rai o'i
wŷr nerthol ymlad ar ran Gruffudd yn erbyn Trahaearn.

Nod Gruffudd ap Cynan

Ond ar ôl trechu Trahaearn, gwyddai Gruffudd ap Cynan mai'r
Norman oedd ei elyn bellach a neb llai na Robert Rhuddlan yn un o'i
brif elynion. Fe gafodd gymorth ganddo yn erbyn Trahaearn, mae'n
wir, ond mater o raid oedd hynny, mewn gwirionedd. Ceir stori am
ymweliad cyntaf Gruffudd â Rhuddlan sydd braidd yn arwyddocaol.
Ac yntau ar ei ben ei hun yn crwydro yma ac acw o fewn y castell,
daeth ato weddw gwas a fuasai'n gwasanaethu Gruffudd ap Llywelyn
a'i arwisgo, a phroffwydo y byddai ef ryw ddiwrnod yn frenin Cymru.
Roedd Gruffudd, yn naturiol, wrth ei fodd, ond yn ddiamau cyneuodd
fflam yn ei galon i wireddu hyn i gyd. Rhaid, felly, oedd ymosod ar y
Normaniaid.

Yn ôl i Ruddlan

Dyna a ddigwyddodd tua'r flwyddyn 1075. Er bod Robert wedi ei
gynorthwyo unwaith, gelyn a Norman ydoedd wedi'r cwbl. A chyn hir,
daeth Gruffudd yn ôl i Ruddlan i ymosod â llongau'r Llychlynwyr,
ac ar eu byrddau Gymry, Gwyddelod a Northmyn yn barod i'w
wasanaethu. Dyma anelu am y castell, lladd llawer o'r preswylwyr,
lladrata meirch, gwartheg a thrysorau, a'r Normaniaid yn dianc am eu
bywyd i dŵr y castell. Wedi iddynt gyrraedd y fan honno roeddynt
yn berffaith ddiogel, ac yn y diwedd bu raid i Gruffudd a'i fintai
hwylio ymaith ag ysbail go dda, yn y llongau a roddwyd ar fenthyg
iddo gan aelodau o dylwyth ei fam.

Llun 13: Gruffudd yn ymadael â Rhuddlan yn llongau'r Llychlynwyr.

Gruffudd ym Môn

Hwylio'n ôl, felly, i Fôn ac i Aberffraw, ei ganolfan, a wnaeth Gruffudd. Ond pan ddychwelodd, cafodd gryn fraw gan fod anghydfod rhwng y Cymry ar y naill law, a'r Gwyddelod a'r Llychlynwyr ar y llall. Roedd y Llychlynwyr yn amhoblogaidd iawn gan eu bod yn hawlio tir eisoes ar draul y Cymry, a hwythau, yn eu gwylltineb, wedi lladd hanner cant o'r estroniaid beiddgar hyn. Roedd Gruffudd yn siomedig iawn pan welodd hyn ac yntau mor hyderus y gallai, gyda chymaint o lu, ymosod ar y Norman a'i drechu. Ond bu brwydr rhwng y ddwy ochr ac yn ei wylltineb rhuthrodd Gruffudd i'w chanol gan chwifio'i gleddyf fel dyn gwallgof. Sylweddolodd rhai o'i gynghorwyr y perygl a chyn iddo gael ei anafu neu ei ladd, llusgwyd ef o faes y frwydr a'i gario mewn cwch, yn gyntaf i Foel Rhoniaid ac yna'n ôl i Iwerddon.

Dychwelyd i Gymru

Aeth chwe blynedd heibio cyn i Gruffudd ap Cynan ymddangos eto yng Nghymru. Yn y cyfamser, achubai'r Normaniaid ar eu cyfle a Huw Flaidd a Robert Rhuddlan yn cael rhwydd hynt i anrheithio'r arfordir, gan achosi tân a difrod hyd at draethau Llŷn. Ond yn y flwyddyn 1081 dychwelodd Gruffudd i Gymru, i'r De y tro hwn. Glanio ym Mhorth Glais, ger Tyddewi, â Chymry, Gwyddelod a Llychlynwyr ymysg ei ddilynwyr. Yno, hefyd, roedd gŵr o'r enw Rhys a'i fintai o wŷr y Deheudir yn barod i'w gynorthwyo. Ac yn wir, trechwyd a lladdwyd Trahaearn ym Mrwydr Mynydd Carn.

Meirion Goch yn bradychu Gruffudd

Yn llawn hyder, felly, y gorymdeithiodd Gruffudd a'i lu i'r Gogledd ac i Wynedd, ei dreftadaeth. Mae'n amlwg, yn ôl yr hanes, fod ar y Normaniaid ei ofn bellach, ond roedd Huw Flaidd gyfrwys yn barod amdano. Un o'r rhai a fu'n deyrngar i Gruffudd cyn iddo droi'n alltud oedd gŵr o'r enw Meirion Goch. Ond aros yng Nghymru a wnaeth hwn yn y cyfamser ac mae'n debyg i Huw Flaidd gael gafael arno a'i berswadio i fradychu i'w ddwylo frenin Gwynedd. Pan laniodd Gruffudd ym Mhorth Glais, pwy oedd ar y cei ond Meirion Goch ei hun, a'i gyfarchiad cynnes iddo oedd: 'Can croeso i'th ddyfod yma!' Yna, ar eu taith i'r Gogledd, mae'n amlwg i Meirion, mewn sgwrs, gyflwyno neges fod y Normaniaid yn barod i arwyddo cytundeb ond y byddai'n rhaid iddo ef, Gruffudd, gyfarfod â hwy yng nghyffiniau Corwen. Heb amau dim, aeth Gruffudd ac ychydig o'i osgordd i'r cyfarfod ond roedd milwyr Normanaidd yn barod amdano a dygwyd ef ymaith yn garcharor i gastell Caer.

Llun 14: Gruffudd ap Cynan yng Ngharchar Caer.

Meirion Goch oedd enw'r bradwr
  A'i gwahoddes ef un dydd
I gyfarfod dau bendefig
  Ar ei dir, i hela'r hydd.

Bu Gruffudd yn y carchar yng Nghaer am flynyddoedd lawer, efallai gymaint ag un mlynedd ar bymtheg, yn cael ei gam-drin:

Hir y bu'n dihoeni yno
  Yn ei gell, ac estron iau
Ar ei ddeiliaid di-arweinydd
  Byth a beunydd yn trymhau.

T. Gwynn Jones

Marw Robert Rhuddlan

Â Gruffudd yn y carchar, ni theimlai Robert Rhuddlan bellach unrhyw bryder, ac erbyn 1088 roedd wedi mynd i gastell Degannwy i hamddena, i orffwys ac ymlacio yng nghanol ei ysblander. Yn sydyn, ar ganol prynhawn hafaidd, dyma waedd! Yr oedd un o'r gwylwyr wedi darganfod llongau yn glanio a'r gwŷr dieithr yn prysur lwytho eu byrddau â gwartheg a marsiandïaeth o bob math, a merched a'u plant yn cael eu hyrddio ar fyrddau'r llongau yn garcharorion. Dim ond aros am y llanw bellach! Ceisiodd Robert alw ar ei ddilynwyr ond ni chafodd fawr o ymateb gan fod rhai ohonynt yn ymlacio yn eu cartrefi a'r lleill yn ddiwyd yn llafurio yn y meysydd. Yn ei wylltineb, rhuthrodd ef ei hun i'r traeth, ond cafodd ei ladd ar amrantiad, a phan drodd y llanw, a'r Cymry'n hwylio ymaith, taflwyd ei gorff i'r môr mawr.

Huw Flaidd yn dyfalbarhau

Ond nid ataliwyd ymgyrch y Normaniaid yng Ngogledd Cymru, er bod Robert Rhuddlan wedi ei ladd. Roedd Huw Flaidd, o'i ganolfan yng Nghaer, yn benderfynol o drechu'r Cymry ystyfnig yn y rhanbarth hwn, a chan fod y Cymry heb arweinydd, llwyddodd y Normaniaid i anrheithio, ysbeilio a dinistrio'n ddidrugaredd ar hyd yr arfordir o Gaer i Fôn, gan adeiladu cestyll mwnt a beili ym Mangor, yng Nghaernarfon ac yn Aberlleiniog, ger Biwmares, ar Ynys Môn.

Marchnad Caer

Roedd yr Iarll Huw Flaidd, wedi iddo gyflawni rhyw wrhydri neu gampwaith fel hyn, yn hoff iawn o ddathlu — gloddesta, yfed gwin, mwynhau campau chwaraeyddion a chael dangos ei ddirmyg tuag at ei garcharorion mwyaf nodedig. Ni ddathlodd lwyddiant ei ymgyrch ar unwaith. Na! Rhaid oedd aros y tro hwn a chael y gynulleidfa fwyaf posibl. Penderfynu aros hyd adeg marchnad Caer a wnaeth yr hen Iarll ac yna:

> 'Blinais ar ddiogi heddwch,
>   Heddiw, mynnwn wledd,' medd Huw,
> 'Dygwch allan mewn gefynnau
>   Frenin Cymru, od yw fyw.'

Ie! Gruffudd ap Cynan oedd i gael ei wawdio ganddo'r tro hwn, a digon o Gymry'n mynychu'r farchnad hon i weld sarhau eu harwr.

Llun 15: Rhyddhau Gruffudd o'i gaethiwed.

Achub Gruffudd o'i gaethiwed

Cyrchwyd Gruffudd i le amlwg yng nghanol y dref, lle gallai pawb syllu arno, yntau mewn cadwyni trymion, a golwg welw arno, a Huw Flaidd wedi gosod dau o'i wŷr cyhyrog i'w wylio tra oedd ef yn gloddesta ac yn meddwi. I'r farchnad yng Nghaer y diwrnod hwnnw, ymhlith llawer o Gymry, y daeth Cynwrig Hir a'i gyfeillion. Erbyn amser cinio roedd Huw, Iarll Caer, yn ei fwynhau ei hun yn braf. Wedi'r cwbl, roedd wedi gosod dau warchodwr cyfrifol i ofalu am yr un a fyddai'n destun gwawd iddo'r noson honno. Ond rhywsut neu'i gilydd, denwyd y ddau warchodwr o fan eu dyletswyddau ac yn y cyfamser cyrchwyd y carcharor ar ysgwyddau Cynwrig Hir o dref Caer i ddiogelwch bryniau Cymru:

> Hir fu'r daith drwy gors a gwerni
> Oni lasodd gwawr y dydd,
> Yna, gan benlinio, meddai
> 'Arglwydd, wele di yn rhydd!'

Y Ffoadur

Wedi'r digwyddiad annisgwyl hwn, roedd Huw Flaidd o'i gof yn lân a rhoddodd orchymyn i'w filwyr i chwilio ym mhob twll a chornel am y ffoadur — yn y bryniau, yn y fforestydd ac ar y gwastadeddau, ond nid oedd sôn amdano yn unman. Ac roedd y Cymry'n deyrngar iddo — nid oedd neb am fradychu Gruffudd ap Cynan. Teimlai ef, fodd bynnag, mai gwell fyddai iddo gilio am gyfnod i Iwerddon unwaith eto, ac felly hwyliodd ymaith o fae Aberdaron.

Y Normaniaid yn ymosod ar Fôn

Cyn gynted ag y clywodd y Normaniaid y newydd hwn, gwelsant eu cyfle i anrheithio arfordir y Gogledd unwaith eto. Huw Falch, Iarll Amwythig, y tro hwn yn ymuno â Huw Flaidd, a chan ysgubo pawb a phopeth o'u blaenau, yn cyrraedd traethau Môn. A dyna i chwi wythnos a gafwyd ar yr ynys — y Normaniaid yn wyllt hollol, yn dinistrio cnydau, yn ysbeilio ac yn llosgi tai, ac yn dallu, cloffi a llofruddio'r trigolion. Daeth Huw Falch â'i helgwn hardd gydag ef, a'r noson gyntaf penderfynodd eu cartrefu a'u llochesu yn Eglwys Llandyfrydog, ger Llannerch-y-medd. Fe brotestiodd hen offeiriad fod hyn yn weithred ysgeler — halogi Eglwys Dduw, a bu bron iddo â chael ei ladd am wrthdystio fel hyn. Ond mae'n siŵr mai'r hen offeiriad oedd yn iawn: erbyn y bore roedd yr helgwn yn wallgof hollol ac nid oedd modd eu trin.

Â'r ymosodiad mor danbaid a didrugaredd, digalonnodd llawer o Gymry Môn a ffoi i gysgod Mynyddoedd Eryri; ond dal eu tir a wnaeth eraill a pharhau i wrthsefyll y Normaniaid haerllug. Wrth iddynt ymladd ar draethau Môn yn erbyn y gelyn estron, pwy a ddigwyddai hwylio heibio ond Magnus, brenin Norwy, a thair o'i longau. Roedd y Llychlynwyr bob amser yn awyddus i frwydro a dyma gyfle iddynt unwaith eto. Gan fod y Cymry'n tueddu i golli'r dydd fe debygent mai antur fyddai brwydro o'u plaid hwy. O'u llongau, sylwent fod un o'r Normaniaid yn ymffrostgar dros ben, yn marchogaeth yn benuchel drwy'r dŵr bas, gan annog ei filwyr i ymdrechu ac i ymladd hyd at waed. Anelwyd saeth at y Norman hwn, Huw Falch, a'i daro yn ei lygad. Syrthiodd yntau i'r llawr ac fe'i boddwyd gan y llanw. Hwyliodd y Llychlynwyr ymaith, ac yn ofnus ddigon, teithiodd y Normaniaid yn ôl i Gaer ag ysbail a charcharorion.

Cyfnod olaf Gruffudd ap Cynan

Dyma gyfle i Gruffudd ap Cynan ddod yn ôl, ac fe ddaeth a chael croeso mawr gan ei ddeiliaid, a chafodd y Cymry lonydd gan y Normaniaid a oedd yn mynnu ymyrryd â'u gwlad. Mae'n wir y bu ymosodiad gan Harri I a'i fintai yn y flwyddyn 1114, ond ni chollodd Gruffudd ddim o'i diroedd. Ef, bellach, oedd arweinydd y Cymry, ac am flynyddoedd, â chymorth ei wraig wych, Angharad, a'i wyth plentyn, cafodd lonydd i lywodraethu ei diriogaethau mewn heddwch. A bu ffyniant! Gerddi yn cael eu cynllunio a'u gwrteithio, perllannau yn cael eu plannu ac yn dwyn ffrwyth ac eglwysi yn cael eu hadeiladu er mwyn rhoi clod a gwrogaeth i'r Creawdwr mawr ei hun. Ond roedd y blynyddoedd bellach yn gadael eu hôl ar Gruffudd ac erbyn y flwyddyn 1137 roedd yn hen ŵr, yn fethedig ac yn ddall. Ac yn y flwyddyn honno y bu farw a chael ei gladdu yn Eglwys Gadeiriol Bangor.

B. RHYS AP TEWDWR

Rhys a Gruffudd ap Cynan yn cwrdd â'i gilydd, 1081

Yn y flwyddyn 1081 y cyrhaeddodd Gruffudd ap Cynan Porth Glais, ger Tyddewi, o Iwerddon. Yn ei ddisgwyl yno roedd Rhys ap Tewdwr, yntau hefyd yn alltud ac yn ceisio adennill ei etifeddiaeth yn y Deheudir. Roedd Rhys a Gruffudd ar yr un perwyl, mae'n amlwg, ac aeth y ddau gyda'i gilydd i Eglwys Gadeiriol Tyddewi a gofyn am fendith yr Esgob ar eu hymgyrch. Bendithiodd yr Esgob hwy ac aeth

Llun 16: Llychlynwr a fu'n ymladd ym Mrwydr Mynydd Carn.

y ddau, ochr yn ochr, gyda'u minteioedd a chyfarfod â'u gelyn, Trahaearn, pennaeth y Cymry yn ôl rhai, ar Fynydd Carn yn y Preselau. Roedd Rhys yn anfodlon taro ar unwaith ond roedd Gruffudd yn mynnu ymosod yn ddi-oed; fe lwyddodd, a lladdwyd Trahaearn yn y frwydr.

Byddin Rhys a Gruffudd

Ym myddin Rhys a Gruffudd roedd Cymry â chleddyfau a tharianau, Gwyddelod â ffustiau rhyfel (dau ddarn o bren wedi eu clymu wrth ei gilydd, â phelen drom o haearn ar un pen) ac yna'r Llychlynwyr â'u bwyeill miniog. Wedi'r frwydr bu erlid ddydd a nos ar y ffoaduriaid, ac wedi'r fuddugoliaeth dychwelodd Gruffudd i'r Gogledd ond arhosodd Rhys yn y De i'w sefydlu ei hun yn arweinydd Cymry Deheubarth.

Wiliam Goncwerwr yn dod i Gymru

Rhys, bellach, oedd Brenin y De ac roedd cefnogaeth gref ganddo. Sylweddolodd Wiliam Goncwerwr fod gan y Cymry arweinydd cryf yn y rhanbarth hwn a rhaid oedd ymdrin â'r sefyllfa yn wyliadwrus a doeth gan fod cymaint o farwniaid Normanaidd wedi ymsefydlu yma ac acw yn Ne Cymru. Penderfynodd ymweld â'r rhanbarth, a chyrchfan ei daith, yn ôl ei ddatganiad ef, fyddai Tyddewi. Ond roedd y Cymry yn amheus o bob estron. Ai dod i'w darostwng hwy yr oedd brenin Lloegr neu ai dod ar bererindod i le sanctaidd? Anodd dweud, ond y gwir yw i Wiliam gyfarfod â Rhys ap Tewdwr a chael argraff dda ohono. Roedd hwn, yn ei dyb ef, yn ŵr doeth, rhesymol, yn un a fyddai'n deyrngar iddo o dan amodau teg a chyfiawn. Cydsyniodd i'w gydnabod yn Frenin Deheubarth, gan ei fod yn argyhoeddedig y byddai'n llywodraethu'n gadarn ac yn gallu cymrodeddu rhwng hawliau'r Cymry a'r Norman.

Brwydr 1093

Bu heddwch yn Ne Cymru, mae'n debyg, am y gweddill o deyrnasiad Wiliam I ond pan ddaeth ei olynydd, Wiliam Rufus, i'r orsedd, gwelai'r barwniaid Normanaidd eu cyfle i ennill mwy o dir ar draul y Cymry. Un o'r rhain oedd Bernard, mab Geoffrey o Neufmarché, cyfaill mynwesol y Concwerwr. Daeth y mab hwn i Frycheiniog ac adeiladu castell iddo'i hun yn Nhalgarth. Roedd ysbryd anturus yn hwn ac aeth ymlaen i adeiladu castell arall iddo ef ei hun yn Aberhonddu, castell â rhai tyrau sgwâr a rhai tyrau crwn ganddo. Nid cytundeb fel hyn a wnaeth Rhys ap Tewdwr â thad Wiliam Rufus, ac felly, yn y flwyddyn 1093, aeth i ryfel yn erbyn y Normaniaid, gan ymladd yn ymyl y castell newydd hwn. Ond cafodd ei ladd yn yr ornest, a chludodd gwŷr ffyddlon Deheubarth ei gorff o faes y frwydr i dir sanctaidd Tyddewi.

Hanes y Canolbarth

Soniwyd eisoes am y Gogledd a'r De yn ystod y cyfnod hwn. Ond beth am y Canolbarth? Yma, wrth gwrs, roedd Wiliam Goncwerwr wedi gosod Roger Trefaldwyn yn gyfrifol am yr ymgyrch Normanaidd yn y rhanbarth. Wedi iddo ei sefydlu ei hun ym Mhowys, brysiodd ymlaen a goresgyn Brycheiniog a Morgannwg, a meddiannu hefyd rannau o Geredigion a Dyfed. Wedi iddo farw, bu i'w fab, Huw, anrheithio rhannau o'r Canolbarth a'r De, gan ruthro'n frawychus ar hyd Dyffryn Uchaf Hafren i Geredigion ac ysbeilio a lladd trigolion Dyffryn Teifi. Cododd gastell Cilgerran yn ystod yr ymgyrch hon, i wrthsefyll gwŷr Ceredigion ac i fygwth gwŷr Dyfed. Ond pan ymunodd â Huw Flaidd i ddarostwng Môn, cafodd yntau ei haeddiant, fel y gwelsom eisoes, a chael ei ladd gan Lychlynwr ar y traeth ger Penmon.

Gwarchae Penfro, 1096

Roedd gan Huw Falch frawd iau o'r enw Arnulf, ac wedi marw Rhys ap Tewdwr, rhoddwyd cyfrifoldeb arno ef, a buan iawn y meddiannodd dde Dyfed ac adeiladu cestyll Caeriw a Phenfro. Mae stori ddiddorol y

Llun 17: Castell Penfro. Codwyd y castell a welir heddiw yn bennaf yn y ddeuddegfed ganrif a'r drydedd ganrif ar ddeg, wedi cyfnod Arnulf.

dylid ei hadrodd ynglŷn â chastell Penfro. Penododd Arnulf Gerallt Windsor yn warchodwr y castell ac erbyn y flwyddyn 1096 roedd tân yng ngwythiennau'r Cymry ac roeddynt yn barod i ymosod ar unrhyw sefydliad Normanaidd. Penderfynwyd gosod gwarchae ar gastell Penfro. Efallai i'r si fynd ar led fod preswylwyr y castell yn brin iawn o fwyd ar y pryd. Ond gŵr cyfrwys oedd Gerallt Windsor a chan fod gwarchae ar ei gartref roedd yn awyddus i roi'r argraff i'r Cymry nad oedd hyn i gyd yn wir. Ac felly, danfonodd lythyr at ei bennaeth, Arnulf, yn ymffrostio fod ganddo luoedd arfog digyffelyb, a digon o fwyd a diod i'w gynnal am fisoedd. Bwriedid i'r llythyr gael ei golli ar y daith fel y gallai'r Cymry gael gafael arno. Digwyddodd hyn, a chredodd trigolion yr ardal fod y stori yn y llythyr yn wir. Rhaid, felly, oedd rhoi'r gorau i'r gwarchae a hwythau wedi hen flino ar gadw llygad barcud ar y castell.

Dylanwad Teulu Trefaldwyn

Erbyn hyn, felly, roedd dylanwad Teulu Trefaldwyn yn ymestyn o Amwythig, ar draws Pumlumon i eithaf de-orllewin Cymru. Roedd minteioedd o'r Normaniaid, hefyd, yn ymuno â hwy ar ôl glanio yma ac acw ar arfordir y De. Yn wir, erbyn 1100, pan ddaeth Harri I i orsedd Lloegr, roedd Gwent, Morgannwg, Brycheiniog, Bro Gŵyr, Penfro a Cheredigion yn eu dwylo, a hwythau wrthi'n brysur yn adeiladu cestyll Aberteifi a Chaerfyrddin er mwyn ymsefydlu, unwaith ac am byth, yn y rhan hon o'r wlad.

Y Ffleminiaid ym Mhenfro

Roedd Harri I yn ŵr digon deallus a doeth i sylweddoli nad trwy rym yn unig y darostyngid cenedl. Ac yn y flwyddyn 1108 gwahoddodd Ffleminiaid a oedd yn gyfeillion iddo i ymsefydlu yn ardal Hwlffordd ym Mhenfro. Pobl ddiwyd, brysur oedd y Fleminiaid, heb ofn gwaith arnynt, boed drin y tir neu drafod gwlân defaid a'i fasnachu wedyn. Ond gwyddai Harri'n eithaf da mai'r Saesneg a fabwysiadai pobl o'r fath yn hytrach na'r Gymraeg, a chyn bo hir, roedd lluoedd o Gymry'n ymadael â'r ardal ac aeth y rhan hon o Benfro yn Normanaidd-Seisnig. Mae'r dylanwad yn parhau hyd heddiw, wrth gwrs.

C.   GRUFFYDD, MAB RHYS AP TEWDWR
Dychwelyd i Gymru

Bu Gruffydd yn alltud yn Nulyn ar ôl i'w dad farw ym 1093 ond ym 1113 dychwelodd o Iwerddon. Roedd yntau, fel ei dad, yn ŵr anturus,

ac am ryw ddwy flynedd bu'n crwydro yma ac acw gan gynnal sgwrs â
hwn a'r llall a cheisio darbwyllo'r Cymry nad oedd dylanwad y
Normaniaid yng Nghymru yn beth iachus. O ganlyniad, roedd ei
gydwladwyr yn dra pharod i heidio o dan ei faner. Roedd ganddynt,
wedi'r cwbl, dywysog arall y gallent ymddiried ynddo.

Ymweliad â'r Gogledd

Sylweddolodd brenin Lloegr hyn yn fuan iawn a dechreuodd baratoi
ar gyfer y sefyllfa newydd. Cafodd Gruffydd wybod hyn, ac ar unwaith
rhuthrodd i'r Gogledd i gael cymorth Gruffudd ap Cynan, a oedd wedi
hen sefydlu ei awdurdod yn y rhanbarth. Ond bu hwnnw'n ddigon
dauwynebog a bradychodd fab Rhys ap Tewdwr i'r gelyn. Roedd ef,
erbyn hyn, ar delerau da â'r Normaniaid ac yn dymuno parhau felly. A
dim ond cael a chael fu hi cyn i Gruffydd druan lwyddo i ddianc i'r De
o fae Aberdaron.

Gwrthryfel 1116

Roedd Gruffydd ap Rhys wedi ei gythruddo ac nid oedd dim a allai
ei atal bellach. Gwyddai fod Cymry'r De yn llwyr o'i blaid, a rhaid oedd
ymosod ar y Normaniaid didrugaredd a oedd yn ceisio gorchfygu'r
wlad a darostwng ei genedl. Ac am gyfnod cafodd gryn lwyddiant. Yn y
flwyddyn 1116 y bu'r gwrthryfel ac yntau ar flaen y gad yn ymosod ar
gastell Arberth a'i ddinistrio. Ymlaen wedyn i Lanymddyfri ac
Abertawe, lle achosodd gryn drafferth i'w elynion ond ni lwyddodd
i'w disodli. Cafodd fwy o foddhad pan lwyddodd i roi Caerfyrddin ar
dân a dwyn ymaith ysbail werthfawr. Teimlai'n ddigon hyderus i
ymosod ar y Normaniaid yn ardal Aberystwyth. Ond methiant fu'r
ymgyrch hon. Roedd y Normaniaid wedi dod i ddeall ei dacteg erbyn
hyn ac nid oedd ganddo'r dylanwad angenrheidiol ar ei finteioedd i
wynebu'r gwŷr profiadol a oedd yn ei wrthwynebu. Gwasgarodd
byddin Gruffydd a chiliodd ef i'r unig ran o'r De lle nad oedd gan y
Normaniaid lawer o ddylanwad nac awdurdod, sef y Cantref Mawr.

Ymgartrefu yn y Cantref Mawr

Mae'n debyg i Gruffydd ddod i ryw fath o gytundeb â Harri I yn
ystod y cyfnod hwn, ac i hwnnw ganiatáu iddo gael arglwyddiaethu
yno. Ardal fynyddig rhwng afon Tywi ac afon Teifi oedd y Cantref
Mawr, ac yno yr ymgartrefodd gyda'i wraig, Gwenllian, drwy
flynyddoedd olaf teyrnasiad Harri I. Roedd Gwenllian yn ferch i
Gruffudd ap Cynan a ganed iddi bedwar mab, sef Maredudd, Rhys,
Morgan a Maelgwn. Bu i Rhys fyw'n hir a chawn sôn amdano eto, ond
fe laddwyd y tri arall ym mlodau eu dyddiau.

Gwrthryfel 1135-6

Erbyn y flwyddyn 1135 roedd y Cymry unwaith eto am waed y Normaniaid. Hywel ap Maredudd, pennaeth â chryn ddylanwad yng ngorllewin Brycheiniog, a gyneuodd y fflam, ac ar ddydd Calan y flwyddyn 1136, a Steffan bellach ar orsedd Lloegr, bu brwydr waedlyd mewn man rhwng Casllwchwr ac Abertawe, a'r Cymry'n fuddugoliaethus gan ladd cymaint â 500 o'r gelyn. Yn awr, gwelai Gruffydd ap Rhys gyfle unwaith eto i ymgynnull byddin gref yn erbyn y Normaniaid, a brysiodd i'r Gogledd, i geisio cymorth meibion Gruffudd ap Cynan y tro hwn.

Gwenllian

Tra oedd ei gŵr yn y Gogledd, â byddin fechan yn unig ganddi hi i'w gwarchod, clywodd Gwenllian fod y gelynion yn nesáu o gyfeiriad castell Cydweli. Gan fod ganddi ddau fab bychan, ceisiwyd ei darbwyllo i encilio cyn dyfod yr estron creulon, ond ni fynnai hynny. Yn hytrach, penderfynodd arwain byddin yn eu herbyn ac ymosod ar gastell Cydweli:

> Huno'n dawel mae fy meibion,
> Pell oddi wrthynt mae eu tad;
> Gorchwyl gwraig yw tynnu cleddyf
> Dros ei gŵr a'i phlant a'i gwlad.

Ond pwyso'n wyllt ymlaen a wnâi'r Normaniaid gan ladd llawer o'r Cymry a gyrru eraill ar ffo:

> Rhuthro'n wyllt yr oedd yr estron,
> Awchus oedd ei gleddyf erch,
> Cledd bradwrus nid arbedai
> Fawr na bychan, mab na merch.

Gwŷr creulon oedd y Normaniaid ac fe welwyd hyn yn eglur pan ddaethant o hyd i Gwenllian a'i dau fab bychan, diymadferth. Tynnwyd un ohonynt o freichiau cariadus ei fam a gadael y llall yn ei chwmni:

> Duw a ŵyr pa beth fu yno
> Ac Efô a farno'r cam, -
> Dygwyd Maelgwn, ond gadawyd
> Morgan, yno, gyda'i fam.

Nid trugaredd a gafodd Morgan, ychwaith, na'i fam, o ran hynny, oherwydd:

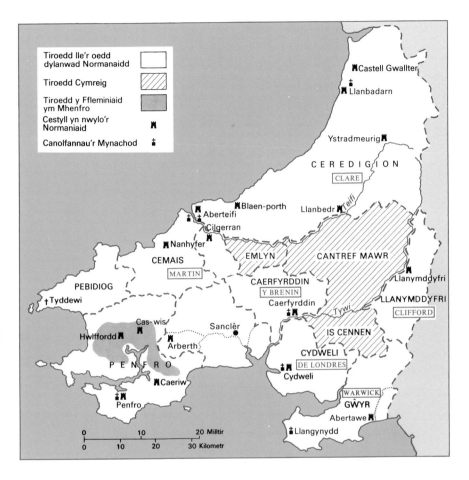

Map 5: Gorllewin Cymru, 1100-1135.

> Yno'r oedd y ddau yn oerion
> Pan dywynnodd bore wawr,
> A'r ddwy ffrwd o waed oedd wedi
> Ymgymysgu ar y llawr.
>
> T. Gwynn Jones

Brwydr Aberteifi

Pan glywyd y newydd trist yn y Gogledd buan iawn y dychwelodd Gruffydd ap Rhys, gyda dau frawd Gwenllian, Owain a Chadwaladr, a'u lluoedd, i ddial ar y Normaniaid anwaraidd hyn. Roedd eu gelynion yn barod amdanynt yng nghyffiniau Aberteifi. Bu brwydr ffyrnig mewn lle o'r enw Crug Mawr, a'r Cymry'n llwyddo i yrru'r gelyn

43

ymaith a hwnnw'n ceisio ymgeledd yn y dref a'r castell. Ond i gyrraedd y fan honno, rhaid oedd croesi pont fregus ac fe gwympodd o dan bwysau meirch a gwŷr arfog y Normaniaid. Boddwyd llawer ohonynt ond llwyddodd rhai i gyrraedd y dref. Cyneuodd y Cymry dân a llosgwyd llawer o'r Normaniaid. Yr unig rai a arbedwyd oedd y Normaniaid hynny a gyrhaeddodd y castell mewn pryd ac yno roedd eu dinas noddfa. Aeth y Cymry ymlaen i anrheithio tiroedd y gelyn yn y cylch gan ddwyn ymaith i'r Gogledd bob ysbail o werth, ynghyd â'r gwragedd a'r plant o dras Gymreig a fuasai dan orthrwm am flynyddoedd.

Yna yn y flwyddyn 1137 bu farw Gruffydd ap Rhys, yn yr un flwyddyn â Gruffudd ap Cynan, ac â'r ddau ddigwyddiad trist yma daeth cyfnod pwysig yn hanes Cymru i ben.

YMARFERION

1. Stori stribed yw Brodwaith Bayeux. Astudiwch y lluniau ar dudalen 12 a cheisiwch lunio stribed tebyg o stori Gruffudd ap Cynan, gan gyfansoddi brawddegau addas o dan bob llun.

2. Dysgwch y penillion o waith T. Gwynn Jones am Gruffudd ap Cynan yn *Cerddi Hanes* (Hughes a'i Fab). Darllenwch *Gwres o'r Gorllewin* gan Ifor Wyn Williams (Gomer).

3. Olrheiniwch hanes Rhys ap Tewdwr a lluniwch grynodeb o'i brif orchestion.

4. Lluniwch ymson ddychmygol gan Gerallt Windsor pan oedd ei gastell ym Mhenfro dan warchae.

5. Ysgrifennwch baragraff i ddangos sut y daeth rhan o Benfro mor Seisnigaidd.

6. Disgrifiwch gyfraniad Gruffydd, mab Rhys ap Tewdwr, i ymgyrch y Cymry yn erbyn y Normaniaid.

7. Lluniwch sgwrs rhwng Gwenllian, gwraig Gruffydd, a'i chynghorwyr, pan oedd hi ar fin ymosod ar y Normaniaid yng nghastell Cydweli.

8. Dysgwch y penillion sy'n gysylltiedig â stori Gwenllian, eto gan T. Gwynn Jones.

9. Ysgrifennwch ddisgrifiad dramatig o Frwydr Aberteifi.

10. Copïwch Fap 5 o Orllewin Cymru, 1100-1135.

PENNOD 3

OES OWAIN GWYNEDD A'R ARGLWYDD RHYS

A. Y SEFYLLFA YN LLOEGR

Canlyniad marw Harri I

Bu farw Harri I yn y flwyddyn 1135, heb fod ganddo fab i'w ddilyn, dim ond merch o'r enw Matilda. Ond yn yr oes honno, ni fynnai'r rhan fwyaf o'r barwniaid i ferch lywodraethu arnynt. Dyn oedd eu dewis hwy, er nad oedd ei berthynas â Harri mor agos â pherthynas Matilda. Felly, wedi marw Harri, pan ddaeth Steffan, cefnder Matilda, o Ffrainc i Loegr, cafodd gefnogaeth frwdfrydig gan y barwniaid. Roedd yn well ganddynt dderbyn ŵyr i Wiliam Goncwerwr i arglwyddiaethu arnynt nag wyres iddo. Mab oedd Steffan i ferch Wiliam, sef Adela, a phan gyfarfu cyngor o'r barwniaid, ef a ddewiswyd yn frenin ym 1135.

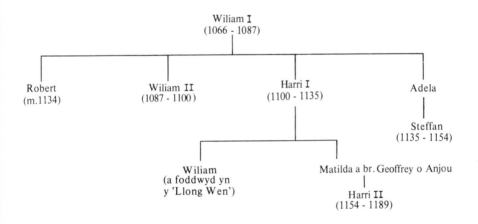

Llun 18: Llinach Harri II.

Ni chafodd Robert (m. 1134) ei ystyried am y frenhiniaeth am iddo arwain gwrthryfel yn erbyn ei dad, Wiliam Goncwerwr.

Rhyfel Cartref 1135-54

Ond roedd carfan lai o farwniaid yn gwrthwynebu cydnabod Steffan yn frenin. Tebygent mai gan Matilda yr oedd yr hawl i orsedd Lloegr, ac roeddynt yn barod i'w chefnogi i'r eithaf a chodi arfau ar ei rhan.

Yn naturiol, bu rhyfel cartref, rhyfel a barhaodd am yn agos i ugain mlynedd: 'Y pedwar ar bymtheg o aeafau hir'. Ac nid oedd y barwniaid, ar y naill ochr na'r llall, yn deyrngar iawn i'w harweinwyr. Roedd eu bryd hwy ar elwa a manteisio ar y sefyllfa drofaus er mwyn ennill awdurdod, tiroedd a meddiannau.

Cytundeb Wallingford, 1153

Wedi brwydro di-dor ymron, a'r werin yn dioddef dan orthrwm y barwniaid diegwyddor, ym 1153 glaniodd Harri, mab Matilda, yn Lloegr i hybu achos ei fam. Dyn gwan oedd Steffan, a bellach nid oedd ganddo'r egni na'r awydd i barhau'r brwydro. Gwell oedd ganddo gyfaddawdu ac arwyddodd 'Gytundeb Wallingford' â Harri. Ef, yn bendant, fyddai Brenin Lloegr am weddill ei oes, ond Harri oedd i'w ddilyn i'r orsedd. Bu farw Steffan ym 1154 — flwyddyn yn unig ar ôl arwyddo'r cytundeb.

TEYRNASIAD HARRI II (1154-89)

Harri, mab Matilda, a ddaeth i orsedd Lloegr wedi marw ei ewythr, Steffan. Treftadaeth dda oedd hon iddo. Ond daeth i'w feddiant hefyd diroedd lawer yn Ffrainc. Etifeddodd Normandi trwy ei fam ac Anjou a Touraine trwy ei dad; daeth deheudir Ffrainc iddo trwy ei wraig, ac un o'i feibion a reolai yn Llydaw. Daeth Maine iddo trwy briodas ei fam Matilda a'i dad Geoffrey. Roedd gan frenin newydd Lloegr etifeddiaeth gref o'r dechrau, ac yn ychwanegol at hynny, gŵr cadarn ydoedd o ran cymeriad a phersonoliaeth.

Rhai o broblemau Harri II

Ond roedd digon o broblemau gan Harri II. Pan ddaeth i Loegr yn y flwyddyn 1153, nid oedd ei feddiannau yn Ffrainc yn ddiogel iawn. Pan esgynnodd i orsedd Lloegr buan iawn y sylweddolodd nad hawdd fyddai ei deyrnasiad yno ychwaith. Ond roedd yn ŵr penderfynol a doeth. Gwyddai'n dda mai'r drwg yn y caws yn ystod teyrnasiad bregus Steffan oedd y barwniaid. Rhaid oedd eu llyffetheirio drwy ddinistrio'r cestyll y buont mor feiddgar â'u hadeiladu yn ystod teyrnasiad Steffan ac amharu ar eu hawdurdod ymysg y werin bobl. Bu'n ddoeth, hefyd, wrth ddewis ei weinidogion. Yn eu mysg roedd Thomas à Becket, mab marchnatwr a ddaeth i fyw i Lundain. Er ei fod yn glerigwr, penododd ef yn Ganghellor, ac yn y swydd honno gwasanaethodd y brenin yn deyrngar ac yn effeithiol.

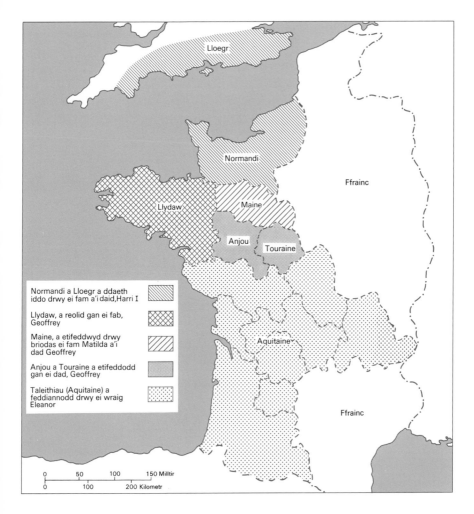

Map 6: Tiriogaethau Harri II yn Ffrainc.

Llysoedd barn y wlad

Y sefyllfa yn yr Eglwys a boenai Harri fwyaf, fodd bynnag. Rhaid cofio bod pawb yn Ewrop yn yr Oesoedd Canol yn Babyddion a bod brenhinoedd pob gwlad o dan awdurdod y Pab. Gair y Pab oedd yn derfynol ym mhob achos. Ond erbyn hyn, nid oedd rhai o'r brenhinoedd yn fodlon ar y sefyllfa, ac yn eu mysg roedd Harri II. Pwy, er enghraifft, a ddylai ethol esgob — y Pab am ei fod yn offeiriad, neu'r brenin am ei fod yn ddeiliad iddo? Roedd Harri, hefyd, yn awyddus iawn i drefnu llysoedd barn effeithiol ac fe sefydlodd y llysoedd mawr yn San Steffan. Dyma ddechrau'r gyfundrefn gyfreithiol yn y wlad yn

47

gyffredinol. Ond credai nad oedd hyn o unrhyw werth os oedd yr Eglwys yn cael cynnal ei llysoedd barn ei hun. Yn y llysoedd hynny, pe bernid bod clerigwr yn euog o drosedd, ei gosb eithaf fyddai carchar. Ond yn llys y brenin, am yr un drosedd gan leygwr, gallai'r gosb fod yn anafiad, yn artaith, neu hyd yn oed yn ddienyddiad. I geisio datrys y broblem penodwyd Thomas à Becket, clerigwr a oedd bellach yn Ganghellor, yn Archesgob Caergaint gan Harri.

Harri II a Becket yn anghytuno

Penodwyd Becket i'r swydd hon yn y flwyddyn 1162. Disgwyliai Harri gydweithrediad llwyr ganddo. Ond crefyddwr yn y bôn oedd Thomas à Becket a chredai bellach ei fod yn was y Pab, a'i fod yn cyd-weld â'i safbwynt ef. Roedd Harri'n ddig am hyn, ac roedd amryw eglwyswyr blaenllaw yn ei gefnogi er mwyn ennill dyrchafiad iddynt hwy eu hunain. Bu raid i Becket fyw fel ffoadur yn Ffrainc am chwe blynedd. Ar ddiwedd y cyfnod hwn cyfarfu â'i frenin a daethant i ryw fath o gytundeb: câi Becket ei hen swydd yn ôl gan y brenin a chaniatâd i ddychwelyd i Loegr.

Becket yn dychwelyd i Gaergaint

Yn awr, roedd popeth yn iawn ac Archesgob Caergaint yn dychwelyd i Loegr a chael croeso yn ei hen gynefin gan yr offeiriaid. Ond yno, clywodd am hanes a oedd, yn ei dyb ef, yn weithred halogedig. Yn ei absenoldeb, yn ôl arfer gwŷr Ffrainc, roedd Harri II, cyn ei farw, wedi trefnu seremoni coroni ei fab yn olynydd iddo. Cynhaliwyd y gwasanaeth hwnnw eisoes dan arweiniad Roger, Archesgob Efrog, ac esgobion eraill. Roedd gan y Pab, yn y cyfnod hwn, ddau ddull o gosbi gwrthdystwyr: ysgymuno'r brenin a rhoddi'r hawl i'w ddeiliaid fod yn anufudd iddo yn ei enw ef, neu gyhoeddi gwaharddiad ar y wlad — cau drysau eglwysi fel na byddai unrhyw fath o sacrament ynddynt, dim cymun, dim priodas wrth allor na chladdu mewn tir cysegredig. Yn ogystal roedd gan awdurdodau uchaf yr Eglwys ym mhob gwlad yr hawl i ysgymuno yn enw'r Pab, a dyna a wnaeth Becket ag Archesgob Efrog a'r esgobion eraill. Pan glywodd Harri am hyn, ac yntau yn Ffrainc, gwylltiodd yn gaclwm, ac yn fyrbwyll hollol, dywedodd, 'Pwy a'm gwared rhag y crach-glerigwr rhyfygus hwn?' Clywodd pedwar marchog y geiriau hyn, ac er mwyn plesio'r brenin, dyma'r rhain yn croesi o'r Cyfandir i Gaergaint i wireddu'r dymuniad.

Ceisiodd y marchogion hyn berswadio'r Archesgob i ailystyried, gan gyfaddawdu â Harri'r brenin, ond gwrthododd Becket. Roedd yn benderfynol yn ei safiad a dyma oedd ei ateb:

Ychydig a wyddom am a ddaw
Ond yn unig mai'r un pethau a ddigwydd
Dro ar ôl tro, o genhedlaeth i genhedlaeth.
Ni ddysg dynion fawr o brofiad eraill.
Ond ym mywyd un gŵr ni ddychwel
Byth amser a fu. Torrer
Y llinyn, bwrier y cen. Ni thyb
Ond yr ynfyd yn ei ynfydrwydd dall
Y geill ef droi'r rhod sy'n ei droi ef ei hun.

Syr Thomas Parry — Cyf. o *Murder in the Cathedral*
(Lladd wrth yr Allor) gan T. S. Eliot

Sylweddolodd y pedwar marchog a ddaeth o Ffrainc nad oedd dim
modd newid barn yr Archesgob, ac ymgiliodd y pedwar i gilfach ger yr
Eglwys Gadeiriol i drafod y mater.

Llun 19: Llofruddio Becket.

Llofruddiaeth Becket

Traddododd Thomas à Becket ei bregeth olaf yn Eglwys Gadeiriol Caergaint ar fore Nadolig, 1170. Ar 29 Rhagfyr roedd popeth yn barod at yr Hwyrol Weddi a'r offeiriaid bellach wedi cael eu gollwng ymaith. Dychwelodd y marchogion haerllug tra gweddïai'r Archesgob: 'Yn awr i Dduw Hollalluog, i Fair Fendigaid Forwyn dragywydd, i'r bendigaid Ieuan Fedyddiwr, yr ebystyl sanctaidd Pedr a Phawl, i'r bendigaid ferthyr Denys, ac i'r holl saint y gorchmynnaf fy achos ac achos yr Eglwys.' Ond wrth iddo orffen ei weddi fer, trywanwyd ef gan y pedwar marchog ac fe'i lladdwyd wrth yr allor.

Harri'n edifarhau

Cafodd pobl Ewrop gyfan fraw pan glywsant am y weithred ysgeler hon. Â Harri o hyd ar y Cyfandir, daeth y newydd iddo am yr anfadwaith. Roedd yn flin iawn ganddo am y geiriau difeddwl a lefarodd pan glywodd am Becket yn ysgymuno Archesgob Efrog a'i gydymffurfwyr. Yn ôl yr hanes, bu'n ddigon gwrol i deithio ar bererindod i Gaergaint a dinoethi ei gefn i ddioddef gwialennod yn benyd am ei fyrbwylltra.

Owain Gwynedd a'r Pab

Nid Harri yn unig a heriodd awdurdod y Pab. Gwnaeth olynydd Gruffudd ap Cynan, sef ei fab, Owain Gwynedd, yn union yr un peth ond am reswm gwahanol. Ei ail wraig oedd Cristin, merch Gronw ab Owain. Roedd hithau'n gyfnither iddo. Nid oedd hyn yn gyfreithlon, yn ôl y Pab, a chafodd Owain orchymyn i beidio â chymryd Cristin yn wraig iddo. Gwrthododd yntau'n bendant ac o ganlyniad fe'i hysgymunwyd. Diddorol sylwi, fodd bynnag, iddo yntau, pan fu farw, gael cynhebrwng teilwng a pharchus yn ôl defod yr Eglwys a chael beddrod anrhydeddus ger yr allor yn Eglwys Gadeiriol Bangor.

B.   TYWYSOG NEWYDD YNG NGHYMRU

Owain Gwynedd yn dod i'r orsedd

Owain Gwynedd oedd y gŵr hwn. Disgynnodd y cyfrifoldeb o geisio atal llif y Normaniaid ar ei ysgwyddau ef a'i frawd Cadwaladr. Bu'r Normaniaid yn ddigon llwyddiannus ar brydiau wrth oresgyn tiroedd y Gororau a mentro ambell ymgyrch i'r De. Cipiwyd tref Aberteifi ganddynt yn ystod y cyfnod hwn. Pan fu farw ei dad, Gruffudd, yn y flwyddyn 1137, Owain Gwynedd oedd yr etifedd. Erbyn hyn roedd gan y Normaniaid a'r Saeson hen ddigon o waith yn ceisio datrys eu problemau eu hunain yn Lloegr, heb sôn am ymgyrchu yng Nghymru. Wedi'r cwbl, roedd rhyfel cartref yn eu gwlad. Ond, yn aml, pan fo amgylchiadau o blaid ein cenedl, bydd rhywbeth yn digwydd o'r tu mewn i'r wlad sy'n milwrio yn erbyn y fantais a enillwyd. Y tro hwn gwrthwynebwyd Owain Gwynedd gan ei frawd, Cadwaladr, a Madog, pennaeth Powys. Er hyn, cynyddodd Owain ei awdurdod oherwydd ei bersonoliaeth gref.

Marw Rhun 1146

Erbyn 1146 roedd Owain wedi ymsefydlu yn ei lys yn Aberffraw, Ynys Môn. Ond yn y flwyddyn honno, cafodd brofedigaeth lem. Bu farw ei fab hynaf, Rhun. Hwn oedd cannwyll ei lygad — bachgen hoffus a chanddo allu diamheuol ac addewid wleidyddol fawr. Hwn fyddai ei olynydd delfrydol ar orsedd Gwynedd. Torrodd Owain ei galon yn lân: nid oedd dim a'i cysurai a chollodd bob diddordeb yn ei safle fel Tywysog Gogledd Cymru.

Cipio castell yr Wyddgrug

Yn y cyfamser, roedd Cymry'r Gogledd yn llawn tân a brwdfrydedd ac yn awyddus i ymosod ar gadarnleoedd y Saeson ar y Gororau, tra oedd cymaint o anhrefn yn Lloegr. Wedi'r cwbl, hwn oedd eu cyfle. Ar y pryd, cipio castell yr Wyddgrug oedd eu huchelgais mwyaf. Ofer fuasai eu hymdrech yn y gorffennol ond roedd gwell gobaith ganddynt yn awr, er bod yno amddiffynfa gref o hyd. Ar y dechrau, er yr ymosod ffyrnig, dal eu tir a wnâi'r Normaniaid. Ond 'dyfal donc a dyrr y garreg', ac yn y diwedd torrodd y Cymry i mewn i'r castell, gan ladd aml un o'r amddiffynwyr, cymryd y lleill yn garcharorion, a chyn ymadael, dinistrio'r muriau.

Brwydr Coleshill

O'r dydd hwnnw, ymgalonogodd Owain, serch colli ei fab, Rhun. Roedd yr hiraeth amdano'n parhau yn ddiamau, ond yr oedd bellach yn barod i'w sefydlu ei hun yn Dywysog y Gogledd. Ar ôl y fuddugoliaeth yn yr Wyddgrug aeth ati i oresgyn tiroedd un o'i gydwladwyr a gelyn iddo, sef Madog, ym Mhowys. Galwodd hwnnw am gymorth y Norman, Ranulf, Iarll Caer bellach, a bu brwydr rhwng y ddwy garfan mewn lle o'r enw Coleshill. Owain a enillodd y dydd a llwyddo i ychwanegu Iâl, Tegeingl ac Ystrad Alun at ei dywysogaeth. Yn y flwyddyn 1153 bu farw'r Iarll Ranulf a chysur i Owain oedd hynny gan nad oedd ei etifedd ond chwech oed. Nid oedd raid iddo ofni gelyniaeth na Cadwaladr ei frawd na Madog ap Maredudd o Bowys.

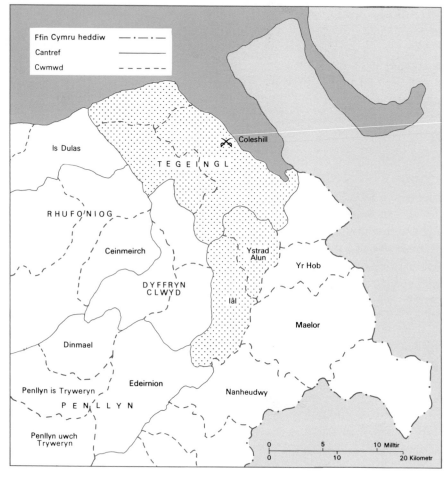

Map 7:   Tegeingl, Ystrad Alun ac Iâl.

Y Sefyllfa yn y De, 1137-54

At ei gilydd, felly, manteisiodd Cymry'r Gogledd ar y sefyllfa yn
Lloegr yn ystod teyrnasiad Steffan, ac roedd Owain erbyn 1154 yn
wir dywysog Gogledd Cymru. Ond beth am y De? Bu Gruffydd, mab
Rhys ap Tewdwr, farw yn yr un flwyddyn â Gruffudd ap Cynan, sef
1137, a gadael bwlch ar ei ôl. Ond roedd ganddo feibion eiddgar dros
achos y Cymry a oedd yn barod i ymladd hyd at waed yn erbyn y
gormeswyr Normanaidd. Bu raid iddynt wneud hynny ac erbyn canol y
ganrif, nid oedd ond un ar ôl, sef Rhys ap Gruffydd, gŵr yn llawn o
egni ac o ymroddiad dros ei wlad. A hyd yma roedd arglwyddi'r De
wedi llwyddo i ddal eu tir yn erbyn y Normaniaid.

C. OWAIN GWYNEDD A HARRI II

Harri II yn datrys ei broblemau

Daeth Harri i'r orsedd yn y flwyddyn 1154, ac roedd ganddo broblemau yn ddi-os — y barwniaid, ymgyrchoedd yr Alban yn ystod teyrnasiad Steffan, a'i diroedd yn Ffrainc. Ond erbyn 1157 roedd yn ymddangos ei fod wedi datrys y problemau hyn i gyd. Llwyddodd i dawelu cwynion y barwniaid yn fuan iawn; llwyddodd i anfon Malcolm, brenin yr Alban, a'i lu yn ôl i'w gwlad eu hunain ar ôl iddynt fanteisio ar eu cyfle am flynyddoedd i gipio tiroedd yng ngogledd Lloegr; a llwyddodd i ddal ei afael ar ei diroedd yn Ffrainc. Hwn oedd ei gyfle i droi at Gymru.

Harri II yn dod i Ogledd Cymru

Poenai fod cymaint o dir yng Ngogledd Cymru wedi ei golli yn ystod yr anhrefn yn ei wlad ei hun. Rhaid bellach oedd trefnu ymgyrch a gwyddai'n eithaf da y gallai ddibynnu ar gefnogaeth Cadwaladr, brawd Owain Gwynedd, ac ar gefnogaeth Madog ap Maredudd, a fu'n elynion i'r Tywysog am flynyddoedd. Cyrhaeddodd Gaer ac ymlwybro'n hyderus oddi yno i Ogledd Cymru. Roedd Harri wedi paratoi ei lynges hyd yn oed at yr ymgyrch hon — honno wedi ei hangori ger arfordir Dyfed, ac yn barod, pan ddeuai'r alwad, i hwylio i ogledd-ddwyrain y wlad i atgyfnerthu ei luoedd arfog.

Gwrthdaro rhwng Owain a Harri

Ond gwyddai Owain fod ymosodiad gan Harri II ar y gweill ac roedd yn barod i'w wrthsefyll. Â chymorth ei feibion, Dafydd a Cynan, casglodd ei holl fintai i Ddinas Basing. Lle delfrydol, yn ei dyb ef, am mai i gyfeiriad Rhuddlan y byddai'r ymosodwyr yn sicr o anelu. Pan glywodd Owain fod Harri wedi trefnu ei ymgyrch mewn dwy ran, y naill fyddin i ymlwybro'n syth ar hyd y glannau, a'r llall i dreiddio drwy fforest dywyll, ychydig i'r de, gan ymgynnull yn ddiweddarach, cynlluniodd yntau i wynebu'r sefyllfa. Dafydd a Cynan a fyddai'n gwrthsefyll yr ymgyrch drwy'r fforest ac ymddangosai'r gwaith yn hawdd. Roedd cymaint o lwybrau yn y fforest ac aml un o'r rheini yn gamarweiniol. Roedd y coedydd yn drwchus a chan na allai gwŷr Harri, a hwythau'n marchogaeth, gadw gyda'i gilydd roedd yn hawdd i'r Cymry ymosod arnynt. Heblaw hynny roedd llecynnau gwlyb yn y fforest a oedd yn peri i'r meirch lithro yn y gwlybaniaeth. Yn sydyn, ymosododd y Cymry a lladd llawer o filwyr Harri gan na wyddent hwy sut oedd na gwrthsefyll na ffoi.

Llun 20: Y Cymry'n taro'n sydyn o dywyllwch y coed.

Harri II yn cyrraedd Rhuddlan, 1157-8

Fe aeth y si ar led fod hyd yn oed y brenin ei hun, Harri II, wedi ei ladd yn yr ysgarmes hon. Ond y gwir oedd iddo lwyddo i ymgysylltu â'r fintai a oedd yn bwrw ymlaen i gyfeiriad Rhuddlan. Yn fuan iawn roedd ar flaen y gad unwaith eto ac yn arwain yr ymgyrch. Sylweddolodd Owain Gwynedd nad oedd ganddo'r adnoddau i wrthsefyll ymhellach, a phenderfynodd wrthgilio i'w deyrnas ei hun. Cafodd Harri, felly, rwydd hynt i gyrraedd castell Rhuddlan ac roedd â'i fryd ar fynd ymhellach. Disgwyliai bob dydd am hanes ei lynges, ac un diwrnod daeth y newydd fod ei longau wedi cyrraedd Moelfre, Ynys Môn, ac wedi angori yno. Cythruddo'r fro a wnaeth ei wŷr — gweld cyfle gwych i ysbeilio eglwysi a thai, a llosgi rhai ohonynt. Ond ffyrnigodd gwŷr yr ynys, ac un noson bu brwydr. Lladdwyd mab Harri II a chlwyfwyd hanner-brawd iddo yn ddifrifol.

Cytundeb rhwng Harri ac Owain

Mae'n wir i'r llynges gyrraedd gogledd-ddwyrain ein gwlad, ond erbyn hyn ni welai Harri y gallai elwa o'i defnyddio, gan fod Owain ar fin dod i delerau ag ef. Fe arwyddodd y ddau gytundeb a fodlonai Owain, at ei gilydd, gan nad oedd ganddo na'r gefnogaeth na'r adnoddau i obeithio cystadlu â gelyn mor gryf. Yn wir, yn ei dyb ef, roedd ei golledion yn llai nag a ddisgwyliai. Rhaid oedd iddo gytuno i dalu gwrogaeth i Harri, i drosglwyddo mechnïaeth, a chytuno nad ymosodai ar Loegr. Am ysbaid o rai blynyddoedd, rhaid oedd i Owain fodloni ar y sefyllfa.

CH. YR ARGLWYDD RHYS

Cytundeb â Harri II

Fel y dywedwyd eisoes, erbyn canol y ddeuddegfed ganrif dim ond Rhys, o blith meibion Gruffydd ac wyrion Rhys ap Tewdwr, a oedd yn fyw. Rhaid olrhain ei hanes yntau a'i ysgarmesoedd yn y De yn erbyn y llu Eingl-Normanaidd ar ôl i Harri II ddod i'r orsedd ym 1154, yn gyfochrog â hanes Owain Gwynedd yn y Gogledd. Gwyddai Rhys yn iawn, o glywed am ymgyrch Harri yn y Gogledd, y gallai ef cyn bo hir orfod wynebu'r un sefyllfa. Ei ymateb cyntaf oedd penderfynu gwrthsefyll, megis y gwnaeth Owain Gwynedd. Ond, ar ôl hir bendroni, penderfynodd mai gwell ar hynny o bryd fyddai iddo gymryd y cam cyntaf a chynnig cyfarfod â Brenin Lloegr ar ei dir ei hun, a threfnu telerau. Cytunodd Harri â hyn ac er i Rhys golli rhai tiroedd yn sgîl y cytundeb, cafodd ddod yn ôl i arglwyddiaethu ar y Cantref Mawr a'r tiriogaethau gwasgaredig o'i gwmpas. O leiaf, cafodd lonydd am gyfnod heb orfod poeni am wrthsefyll ymosodiad na dim o'r fath. Credai Harri, yntau, yr un mor dawel ei feddwl, y gallai ddychwelyd i Ffrainc.

Ifor Bach o Senghennydd

Cwerylon

Nid oedd amryw o Gymry'r De yn fodlon ar gytundeb o'r fath gan fod y gelyn o hyd yn eu gormesu ac yn dwyn eu tiroedd. Un o'r rhain oedd Ifor ap Meurig o Senghennydd a oedd yn briod â Nest, chwaer Rhys. Rhan o farwniaeth Morgannwg oedd y tir a ddaliai ef — bryniau Senghennydd a edrychai i lawr ar Ddyffryn Rhymni ar y naill ochr a Dyffryn Taf ar y llall. Daeth Ifor i'r amlwg gyntaf pan fu cweryl rhyngddo ef a chymydog iddo, sef Morgan ab Owain, a lywodraethai ranbarth Gwynllŵg a Chaerllion (1158). Roedd ganddo natur wyllt, anturus. Llofruddiodd ei wrthwynebwr a'i brif fardd, er nad enillodd ragor o dir drwy'r weithred. Cyn bo hir, daeth i wrthdrawiad â'i arglwydd Normanaidd yng Nghaerdydd, sef yr Iarll Wiliam, ynglŷn â hyd a mesur ei diriogaeth. Ni fodlonodd ar yr ateb a gafodd gan yr Iarll. Unwaith eto, roedd am fod yn hollol haerllug, digywilydd a mentrus. Ei gynllwyn oedd cipio'r Iarll, ei wraig a'i etifedd i fryniau Senghennydd o'u cartref cysurus yng nghastell Caerdydd, ac yna penderfynu ar y telerau cyn eu rhyddhau i ddychwelyd i'w safle bonheddig yn y dref.

Cipio'r Iarll Wiliam

Ond tasg go anodd fyddai hon i unrhyw un. Roedd anawsterau di-rif — gwarchodwyr lu, muriau trwchus y castell, a milwyr dirifedi yn y dref o gwmpas. Ond gŵr penderfynol oedd Ifor Bach a phenderfynodd osod ysgolion hir ar un ochr dywyll i'r castell i gyrraedd rhan bwysicaf yr adeiladau. Yn dawel un noson, dringodd Ifor Bach a'i ddilynwyr yr ysgolion. Efallai iddo gael cymorth gan wasanaethyddion cefnogol o'r tu mewn. Cyrhaeddodd ef a'i fintai, drwy ddirgel ffyrdd, ystafell breifat yr Iarll a'i gipio ef, ei wraig Hawys a'i fab bychan, Robert. Heb i neb o'r gelyn wybod, aeth â hwy yn llechwraidd hollol i fan mewn coedwig ddiarffordd ac yno gosododd ei delerau gerbron yr Iarll Wiliam. Rhaid oedd iddo gael y tir a gollasai yn ôl, a rhagor hefyd. Cytunodd yr Iarll â hyn i gyd a chafodd ef a'i deulu eu rhyddhau. Roedd yn amlwg nad oedd Cymry Morgannwg am aros dan draed y Normaniaid a chael eu cam-drin.

Llun 21: Castell Caerdydd fel y mae heddiw.

Sylweddolodd yr Arglwydd Rhys ar ôl hyn fod cyfle ganddo i gasglu gwŷr ffyddlon ato i hyrwyddo'i achos yn erbyn y Normaniaid yn y De, yn enwedig gan fod Brenin Lloegr yn Ffrainc ar y pryd. Wedi cynnull byddin ynghyd, aeth ati i ymosod ar gestyll Dyfed a llwyddo, hefyd, i osod gwarchae ar Gaerfyrddin.

Y Cyfnod 1159-62

Ond daeth y gelyn yn llu ar eu gwarthaf, a gorfu i Rhys wrthgilio i'r Cantref Mawr. Er i'r Normaniaid ei ymlid, ni chawsant fawr o lwyddiant. Bu raid cyfaddawdu, a Rhys yn aros yn ei arglwyddiaeth ond yn gorfod anfon ei gefnogwyr yn ôl i'w cartrefi ar hyd a lled y wlad. Ond er iddo fod yn segur am gyfnod o fewn ei ffiniau, gwrthryfelodd eto, yn y flwyddyn 1162, a chipio castell Llanymddyfri. Dyma'r flwyddyn, yn anffodus, y dychwelodd Harri II o'r Cyfandir a chyn pen dim roedd ar ei ffordd i Dde Cymru, ac yn ymdeithio'n benderfynol drwy'r cymoedd i Bencader, ar gyrion Ceredigion, lle cyfarfu â Rhys.

Carcharu Rhys

Ni fentrodd Rhys, unwaith eto, wrthsefyll Harri a'i lu a bodlonodd gael ei ddwyn yn garcharor i Loegr y tro hwn. Roedd yr arglwydd o Gymro, yn nhyb Harri, wedi torri ei addewid iddo, ond tybed a ddylai ei adfer i'w hen safle yn y Cantref Mawr, neu oresgyn yr ardal ac elwa ar fenter o'r fath drwy gymryd meddiant ohoni? A oedd y gymdogaeth hon yn werth aberthu rhywfaint o'i filwyr a'i adnoddau i'w hennill i Frenin Lloegr? Penderfynodd Harri anfon marchog o Lydaw i bwyso a mesur y sefyllfa. Roedd y wlad, ac yn sicr yr ardal, yn ddieithr iawn i'r gŵr estron hwn, ac felly rhaid oedd cael tywysydd a oedd yn gyfarwydd â'r gymdogaeth. Fe ddewiswyd tywysydd, ond gan bwy, ni wyddys. Ond casglwn mai gŵr pur ystrywgar oedd hwn, gan na welodd yr ymwelydd ond llecynnau garw a gwyllt y gymdogaeth. Yn ei adroddiad disgrifiodd y gŵr o Lydaw yr ardal fel anialdir a'r trigolion fel anwariaid a oedd yn bwyta gwreiddiau a llysiau yn unig. Anodd credu i'r adroddiad hwn argyhoeddi Harri. Efallai iddo ystyried nad oedd Rhys yn elyn mor beryglus iddo ac nad oedd y Cymry, ychwaith, mor ddi-asgwrn-cefn. Pe cadwai ef Arglwydd y Cantref Mawr yn garcharor, credai y byddai'r Cymry'n sicr o gael hyd i arweinydd mwy anturus yn ei le. Cafodd yr Arglwydd Rhys, felly, ei ryddhau, a dychwelodd i Ddinefwr unwaith eto.

Ymateb Rhys ar ôl ei gaethiwed

Ond roedd ei lid yn parhau yn erbyn y gormeswyr. Wedi dychwelyd i Ddinefwr clywodd stori drist a'i cythruddodd gryn dipyn. Tra bu'n garcharor yn Lloegr, cafodd nai iddo ei lofruddio gan ŵr o'r enw Walter ap Llywarch. Derbyniodd hwnnw loches gan yr Iarll Roger o Henffordd. Ni allai Rhys ymatal, a phrysurodd ymlaen gan ddinistrio castell ar ôl castell yng Ngheredigion, ac erbyn y diwedd, dim ond tref a chastell Aberteifi a oedd ar ôl yn eiddo i'r Normaniaid yn y rhanbarth.

D. OWAIN GWYNEDD A'R ARGLWYDD RHYS YN YMUNO

Harri II yn benderfynol o drechu'r Cymry

Y flwyddyn 1164 oedd hi, a Harri II yng nghanol ei drafferthion ynglŷn â'r Pab a Becket, ac ar yr un pryd yn anfodlon ynglŷn â'r sefyllfa yng Nghymru. Rhaid oedd datrys y broblem hon am unwaith ac am byth, a chasglodd ynghyd fyddin o Normaniaid, Saeson, Albanwyr a milwyr cyflogedig o wledydd eraill yn ogystal â llogi llynges o Ddulyn i ymosod ar ambell fan ar arfordir y wlad. O'r diwedd, sylweddolodd tywysogion Cymru mai mewn undeb y mae nerth. Cytunodd Rhys, Cadwaladr, brawd Owain, ac amryw o dywysogion y wlad i ymuno dan faner Owain Gwynedd i wrthsefyll yn gadarn unrhyw ymosodiad gan Frenin Lloegr ar Gymru.

Yr Ymdaro cyntaf

Arweiniodd Owain Gwynedd ei fintai i Gorwen, ac o'r fan honno trefnodd i wrthsefyll yr ymosodiad newydd hwn. Daeth Harri a'i fyddin ymlaen o Groesoswallt i Ogledd Cymru. Ond roedd coedwig drwchus rhyngddo ef a'r Cymry. Gwyddai Owain hyn yn dda a chan fod y Cymry yn hen gyfarwydd â'r coedydd, gosododd hwy mewn safleoedd manteisiol dros ben. Ac yna, pan ymddangosodd y goresgynwyr, dyma saethu o bob twll a chornel a llawer ohonynt yn cael eu lladd ar amrantiad. Roedd ar y lleill ofn ceisio ymosod, boed mewn mintai neu ar eu pennau eu hunain, ar hyd y llwybrau unig ac anghynefin drwy'r coed. Ceisiodd Harri gael rhai o'i wŷr i dorri'r coed tra byddai eraill yn eu gwarchod ag arfau, ond methiant fu'r cynllun hwn hefyd.

Stormydd Awst

'Methiant yw'r ymgyrch hyd yma,' meddai Harri wrtho'i hun, 'tybed na fyddai'n well i mi arwain fy myddin i lethrau mynyddoedd y Berwyn?' Wedi'r cwbl, mis Awst oedd hi a'r haf yn ei anterth ac nid oedd coed trwchus i ymlafnio â hwy na chorsydd na gweunydd grug i'w croesi. Ond siom, unwaith eto, a gafodd Brenin Lloegr. Efallai nad oedd erioed wedi clywed am 'lif Awst', a'r flwyddyn honno, yn ystod y mis hwn, tywalltodd y glaw yn genllif a pheri gorlifo hyd yn oed dros weunydd gwastad brig mynyddoedd y Berwyn gan ddifetha cyflenwad bwyd y fyddin. Roedd elfennau natur fel pe baent yn ymladd yn erbyn Harri.

Troi'n ôl i Gaer

Ofer, bellach, fyddai i Harri orymdeithio i berfeddion Gogledd Cymru a phenderfynodd droi'n ôl, er ei fod yn ddigon anfodlon gwneud hynny. Tybed, meddai wrtho'i hun, na châi ryw lygedyn o obaith yng Nghaer, lle disgwyliai i'r llongau o Ddulyn gyrraedd i atgyfnerthu ei ymosodiad. Ond pan gyrhaeddodd y dref a'r porthladd, gwelodd ar unwaith nad oedd digon ohonynt na digon o adnoddau na chyflenwad o fwyd ac arfau iddo ailfentro yn erbyn y Cymry. Rhaid, bellach, oedd rhoi'r gorau i'r ymgyrch a chiliodd yn ôl i gyfeiriad Amwythig. Cyn bo hir, roedd Harri II ar ei ffordd yn ôl o Loegr i diroedd Ffrainc lle'r ymsefydlodd am bedair blynedd. Owain yn y Gogledd a Rhys yn y De, bellach, oedd piau llwyfan hanes Cymru.

Y Gogledd

Owain Gwynedd yn Dywysog y Gogledd

Ar ôl 1166, a Harri wedi ymadael am Ffrainc, daliodd Owain Gwynedd ar y cyfle i ddinistrio cestyll y gelyn yn Rhuddlan, Prestatyn a Dinas Basing. Cydnabuwyd Owain yn Dywysog Gogledd Cymru wedi'r ymosodiadau hyn. Ond nid brwydro oedd hoff waith Owain. Ymddiddorai ym mhob agwedd ar fywyd yn ei ranbarth. Os oedd ei diriogaeth am ffynnu, roedd yn rhaid iddi fod yn hunan-gynhaliol i raddau helaeth iawn. Rheswm da, felly, dros hybu amaethyddiaeth drwy roi hunan-hyder i rydd-ddeiliaid a gwŷr eglwysig i ddatblygu eu doniau yn y meysydd hyn. Fe wnaeth hynny'n llwyddiannus, a noddodd wŷr o Gymru i weithio â charreg ac adeiladu yn ôl y dull Normanaidd. O ganlyniad adeiladwyd cestyll Cymreig, hefyd, yn ystod y cyfnod hwn, mewn lleoedd megis Carn Fadryn, Deudraeth a Dolwyddelan.

Llys Aberffraw

Llys Aberffraw ar Ynys Môn oedd canolfan Owain Gwynedd. Yno y gwelid ef ar ei orau, yn ŵr cydnerth, â digon o asgwrn cefn ganddo, yn gyfaill i'r werin ac i'w wahoddedigion bonheddig ond hefyd â diddordeb

Llun 22:   Castell Dolwyddelan.

yn y celfyddydau. Roedd pob bardd o bwys yn cael ei groesawu yn
Llys Aberffraw ond y ddau ffefryn oedd beirdd o'r enw Meilyr a
Gwalchmai. Yn ei nofel hanes, *Llys Aberffraw*, mae Rhiannon
Davies-Jones yn dyfynnu o waith y ddau fardd. Dyma Gwalchmai,
mewn gwledd, yn adrodd geiriau Meilyr, ei dad, wrth Gruffudd ap
Cynan:

> Cyn myned mab Cynan i dan dywawd
> Ceffid yn ei gyntedd medd a bragawd.

Dyma ddyfyniad o gerdd arall gan Meilyr. Yma, y mae'n dymuno cael
ei gladdu yn Enlli wedi iddo farw:

> Ynys Fair'firain, ynys glân y glain,
> Gwrthrych dadwyrain; ys cain yndi . . .
> Creawdr a'm crewys a'm cynnwys i
> Ymhlith plwyf gwirin gwerin Enlli.

Marw Owain Gwynedd

Blynyddoedd dedwydd braf fu blynyddoedd olaf Owain Gwynedd
yn Llys Aberffraw. Yno y bu ei lys a'i gartref. Bu'n gefn i wŷr Gwynedd
am hanner can mlynedd, gan eu sbarduno pan oedd angen brwydro, ac
yn eu hyfforddi a'u hannog i fentro mwy ar arbrofi ym mhob cylch ar
adeg heddwch. Yn ddiamau bu'n llywodraethwr ffyddlon i'w
gydwladwyr, yn un a garai ei genedl ac a geisiai'r gorau bob amser i
wlad ei enedigaeth. Colled fawr i Gymru oedd marw Owain Gwynedd
yn y flwyddyn 1170.

Y De

Fel Owain Gwynedd yn y Gogledd, daliodd Rhys ar ei gyfle wedi i Harri II fynd i'r Cyfandir yn y flwyddyn 1168. Yn y flwyddyn honno y daeth yntau i'w wir etifeddiaeth. Prysurodd i yrru'r Normaniaid o Geredigion a chipio castell Aberteifi. Cyn bo hir ef, mewn gwirionedd, oedd Uwch-arglwydd y De, ar wahân i ambell ran o diriogaeth Dyfed.

'Yr Arglwydd Rhys'

Ond yn y flwyddyn 1172 daeth Harri II yn ôl i Dde Cymru, ond nid i ymladd y tro hwn: roedd wedi cael digon ar hynny, erbyn hyn. Roedd brenin Lloegr ar ei ffordd i geisio datrys rhai problemau yn Iwerddon. Daliodd ar y cyfle i hwylio o Gymru ac ar yr un pryd i gyfarfod â Rhys unwaith eto. Trefnwyd i'r ddau gyfarfod â'i gilydd yn Nhalacharn ac mae'n amlwg fod gan Harri gryn feddwl o Rhys ap Gruffydd gan iddo, ar yr amgylchiad hwn, roi teitl newydd iddo, sef 'Yr Arglwydd Rhys'. Ar ôl hyn ni fu dim anghydfod rhwng y ddau.

Yr Eisteddfod gyntaf, 1176

Wedi hynny, cafodd yr Arglwydd Rhys yn ei gartref cysurus yn Ninefwr y mwynhad o noddi'r celfyddydau. Yn y flwyddyn 1176 trefnodd yr eisteddfod gyntaf erioed a'i chynnal yn ei gastell ef ei hun yn Aberteifi. Cafodd pawb o'r Gogledd a'r De wahoddiad i'r Eisteddfod hon, a chyhoeddwyd y testunau flwyddyn ymlaen llaw. Roedd yna fân gystadlaethau yn ddiamau, ond roedd hefyd ddwy brif gystadleuaeth. Cystadleuaeth mewn cerddoriaeth oedd y naill, sef y gorau am ganu offeryn. Aeth y wobr i'r De, ac efallai, yn ôl yr hanes, i un o weision Rhys ei hun. Cystadleuaeth mewn barddoniaeth oedd y llall, a gŵr o'r Gogledd, o Wynedd, oedd yn fuddugol yn y gystadleuaeth hon. Cadeiriwyd y ddau yn yr eisteddfod hanesyddol hon, a dyna ddechrau sefydliad yng Nghymru sydd wedi goroesi'r holl flynyddoedd ac wedi diogelu ein hiaith.

Llyfr Du Caerfyrddin

I'r cyfnod hwn hefyd y perthyn y llawysgrif hynaf yn yr iaith Gymraeg sef Llyfr Du Caerfyrddin, llawysgrif o farddoniaeth gan feirdd anhysbys yn canu cerddi darogan, cerddi moliant a cherddi crefyddol. Braidd yn dywyll yw'r canu, at ei gilydd, ond wedi dehongli a dadansoddi rhai o'r cerddi ceir ynddynt wirioneddau mawr, yn enwedig yn y trioedd, casgliad o frawddegau diarhebol eu naws. Gan mai anodd yw deall y gwreiddiol, gwell efallai fyddai dyfynnu enghreifftiau mewn Cymraeg diweddar:

Llun 23: Cystadlu brwd Eisteddfod Aberteifi.

Tri pheth a ŵyr Duw amdanynt — dechrau pethau, achos
pethau a diwedd pethau.
Tri gwraidd pob aflendid a phechod — trachwant, celwydd
a balchder.
Tri na allwn byth dalu'n ôl iddynt — ein rhieni, athro da a
Duw ei hun.

Cerddoriaeth yng Nghymru

Yn y Canol Oesoedd, hefyd, gwelir bod y Cymry yr un mor hoff o
gerddoriaeth ag o farddoniaeth. Ychydig iawn o gartrefi o unrhyw safon
a oedd heb delyn ar yr aelwyd, ac oni fedrai aelod o'r teulu ganu'r
offeryn, yna byddai disgwyl am ymweliad gan gerddor crwydrol o fri.
Roedd Cymry'r oes hon hefyd yn canu'r bib a rhyw fath o ffidil.
Ond 'gwlad y gân' fu Cymru erioed a'i hynodrwydd, hyd yn oed yn
y cyfnod hwn, oedd dawn y Cymry i ganu mewn cytgord (h.y.
gwahanol leisiau yn ymdoddi i'w gilydd) tra oedd cantorion
cenhedloedd eraill yn canu'n unsain.

Marw'r Arglwydd Rhys, 1197

Yn ei gyfnod olaf, felly, drwy gynnal ei Eisteddfod yn Aberteifi,
llwyddodd yr Arglwydd Rhys i greu brwdfrydedd diwylliedig yn y
Cymry ac ni all neb wadu nad yw'r genedl wedi cadw'r brwdfrydedd
hwnnw ar hyd yr oesoedd. Noddi'r bardd a'r cerddor oedd ei brif nod
ar ôl 1170, ond pan fu farw Harri II yn y flwyddyn 1189, daliodd
Rhys ar y cyfle i ailddechrau rhyfela yn erbyn ei elyn dros Glawdd Offa
a chipio ambell gastell ym Mhenfro yn ystod yr wyth mlynedd dilynol.
Ond yna, yn y flwyddyn 1197, bu farw'r Arglwydd Rhys ei hun a
chladdwyd ef yn nhir cysegredig Tyddewi, a daeth cyfnod pwysig arall
yn hanes Cymru i ben. Un o arwyr mwyaf ein gwlad ym mhob ystyr
oedd hwn.

YMARFERION

1. Disgrifiwch y sefyllfa yn Lloegr pan fu farw Harri I. Sylwch yn
   fanwl ar faint tiriogaethau Harri II yn Ffrainc. Gwnewch fap i
   ddangos hyn.
2. Lluniwch ddramodig fechan yn adrodd hanes Harri II a Becket, a
   thynnwch lun yr olygfa a ddisgrifir.
3. Dysgwch y dyfyniad o'r ddrama *Lladd wrth yr Allor* (T. S. Eliot,
   cyf. Syr Thomas Parry) a hefyd, darllenwch rannau eraill o'r
   ddrama hon.

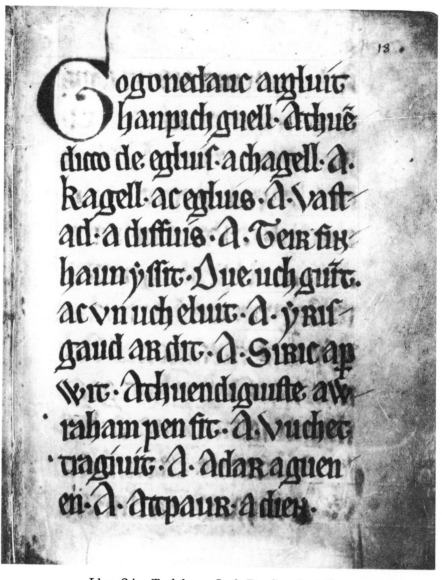

Llun 24: Tudalen o Lyfr Du Caerfyrddin.

*Ceir diweddariad o'r rhan uchod o gerdd grefyddol ar waelod y
tudalen nesaf.*

4. Pa ddylanwad a gafodd marw Rhun ar Owain Gwynedd? Sut y daeth ef dros y brofedigaeth? (Darllenwch nofel hanes Rhiannon Davies-Jones, *Llys Aberffraw*, os oes gennych ddiddordeb pellach).

5. Disgrifiwch yr ymosodiad ar Ogledd Cymru gan Harri II yn y flwyddyn 1157 a sut y daeth Owain Gwynedd ac yntau i gytundeb yn y diwedd.

6. 'Roedd Ifor Bach o Senghennydd yn arwr'. Pam?

7. Tynnwch lun un o gestyll y cyfnod gan gasglu cymaint o wybodaeth ag sy'n bosibl am y castell hwnnw. (Darllenwch *Gweld y Tu Mewn i Gastell* (Addas.) gan Ifor Rowlands, Gwasg y Dref Wen).

8. Lluniwch sefyllfa fel yr un a ddigwyddodd yn yr eisteddfod gyntaf dan nawdd yr Arglwydd Rhys, h.y., trefnwch ffug-eisteddfod ag arweinydd a beirniaid, â chystadlaethau ar ganu offerynnau a chyfansoddi llenyddiaeth a cherddoriaeth.

9. Ymchwiliwch ymhellach i hanes Owain Gwynedd a'i lys yn Aberffraw. (Cofiwch eto am y cefndir a roddir i'r cyfnod yn nofel Rhiannon Davies-Jones).

10. Astudiwch y paragraff ar Lyfr Du Caerfyrddin yn fanwl eto, a cheisiwch ysgrifennu traethawd byr, cynhwysfawr ar *un* o'r trioedd a ddyfynnir.

Llun 24: Diweddariad

Gogoneddus Arglwydd, henffych well;
Bendithied di eglwys a changell,
[Bendithied di] gangell ac eglwys,
[Bendithied di] wastadedd a thir serth,
[Bendithied di] y tair ffynnon sydd,
Dwy uwchben [y] gwynt ac un uwchben [y] ddaear;
[Bendithied di] y tywyllwch a'r dydd,
[Bendithied di] sidan a pherwydd.
A'th fendithiodd di Abraham, pen ffydd,
[Bendithied di y rhai sy'n mwynhau] bywyd tragwyddol,
[Bendithied di] adar a gwenyn,
[Bendithied di] hen dyfiant a thyfiant newydd.

PENNOD 4

EGLWYSI A MYNACHLOGYDD NORMANAIDD

Llun 25:   Bwa Normanaidd Eglwys Gwynllyw Sant, Casnewydd.

A.   YR EGLWYSI

Nid adeiladu cestyll yn unig a wnaeth y Normaniaid yng Nghymru. Sefydlwyd eglwysi ganddynt a threfn newydd o blwyfi ac esgobaethau. Eglwysi Celtaidd, wrth gwrs, oedd eglwysi Cymru cyn y cyfnod hwn. Ond nid oedd y Normaniaid bellach am i'r Eglwys Geltaidd barhau, a hwythau mewn awdurdod. Enwau saint Cymru oedd ar yr eglwysi, ac nid oedd enwau o'r fath yn felys i glust y Normaniaid. Rhaid oedd eu hailenwi ag enwau Beiblaidd— enwau megis Eglwys Fair, Eglwys Mihangel ac Eglwys Pedr.

Pensaernïaeth

Hoffai'r Normaniaid eglwysi carreg, wedi eu cynllunio ar ffurf croes. Ceid ynddynt furiau trwchus, cadarn, a phyrth rhwysgfawr â ffurf bwa iddynt yn y fynedfa. Yng Nghymru y mae Eglwys Penmon ym Môn yn enghraifft dda o bensaernïaeth y Norman. Yma roedd mynachlog Geltaidd ond yn ystod cyfnod y Normaniaid codwyd adeiladau newydd. Adeiladwyd corff yr eglwys bresennol yn ystod dyddiau cynnar teyrnasiad Owain Gwynedd, a rhai blynyddoedd wedyn ychwanegwyd y tŵr a'r ddwy adain groesffurf — gogleddol a deheuol. Yna, yn ystod teyrnasiad Llywelyn Fawr, adeiladwyd y gangell ond fe'i hail-adeiladwyd, ynghyd â'r adain groesffurf ogleddol, yng nghwrs y blynyddoedd. Er hynny, mae ôl celfyddyd y Normaniaid i'w weld yn glir yn yr hen eglwys hon.

Llun 26:   Penmon fel y mae heddiw. Y corff a'r tŵr a welir ar y chwith
           yw'r adeiladau hynaf. Ffreutur oedd yr adeilad di-do ar y dde.

Y Gynulleidfa

Yn yr eglwys Normanaidd roedd meinciau carreg wedi eu cynllunio a'u gosod ar hyd y muriau ac ar y rhain yr eisteddai'r pendefigion a'r bobl oedrannus. Yn y gwasanaeth rhaid oedd i weddill aelodau'r gynulleidfa sefyll ar lawr yr eglwys, neu eistedd yn weddol esmwyth ar dwmpathau o frwyn a gasglwyd ganddynt ar eu ffordd i'r cyfarfod.

Hyfforddi'r werin

Ac o sôn am y gynulleidfa, mae'n rhaid nodi bod y clerigwyr, yn yr · oes honno, yn sylweddoli nad oedd eu haelodau yn cael addysg briodol ac effeithiol a'u bod yn tueddu i fod yn anwybodus. Felly, er mwyn eu cael i ddeall neges yr Efengyl, roedd yn rhaid defnyddio arwyddion, symbolau a darluniau i'w hyfforddi. O gylch ambell eglwys tyfid coed bytholwyrdd yn symbol o fywyd tragwyddol ac ar furiau rhai eglwysi peintiwyd lluniau arwyddocaol. Ar ambell ffenestr liw roedd llun yn denu sylw, llun naill ai o eni Iesu neu o'i groeshoeliad.

Llun 27: Ffenestr eglwys Normanaidd yn dangos y Doethion a'r Bugeiliaid gerbron Mair a'r baban Iesu.

Llun 28: Llestri Cymun Dolgellau.

Y Cymun

Yn aml iawn yn yr eglwysi ceid delw o groes Iesu, wedi ei cherfio'n
gelfydd mewn pren. Dan 'Y Grog', fel y'i gelwid, y câi'r werin bobl
ddod i gyfranogi o sacrament y Cymun Bendigaid. Seremoni urddasol,
ogoneddus a hardd oedd hon ac yn yr eglwysi hefyd ceid llestri Cymun
wedi eu llunio, fel arfer, o biwter neu arian. Fodd bynnag, yn niwedd
y ganrif ddiwethaf darganfuwyd y llestri uchod ger Dolgellau ac maent
yn esiamplau nodedig o brydferth o lestri Cymun o'r Canol Oesoedd.
Tua dechrau'r drydedd ganrif ar ddeg y gwnaethpwyd y rhain.

B.   Y MYNACHLOGYDD A'R PRIORDAI

Codi mynachlogydd newydd

Yn y gyfrol gyntaf, buom yn sôn am y canolfannau a sefydlwyd gan
y saint Celtaidd yn ystod eu hoes hwy. Ond yn yr oes hon, ar wahân
i ardaloedd megis Caergybi, Clynnog, Aberdaron a Thywyn (Gwynedd),
penderfynodd y Normaniaid sefydlu eu mynachlogydd eu hunain yn
lle'r rhai a oedd wedi eu sefydlu, bellach, ers canrifoedd. Yn ystod y
cyfnod hwn hefyd y ffurfiwyd urddau newydd yng Nghymru. Un o'r
rhai hyn oedd *Urdd y Benedictiaid*, urdd hen iawn a sefydlwyd gan
ŵr o'r enw Bened Sant.

(i)   Y Mynachod

Sefydlu Urdd y Benedictiaid

Ganwyd Bened i deulu o uchelwyr yn yr Eidal (O.C. 480) ac yna, ac yntau'n ifanc, aeth i fyw yn feudwy i ogof ger Rhufain. Daeth dilynwyr ato ac ymhen amser, wedi iddynt ymgasglu, aethant oddi yno a sefydlodd Bened ei fynachlog enwog ym Monte Casino yn ne'r Eidal. Mae adeilad yno o hyd, er bod y muriau wedi cael eu dinistrio'n raddol gan dreigl amser. Yno, penderfynodd Bened roi trefn bendant ar eu dull o fyw, a phennu dyletswyddau arbennig ar gyfer pob mynach yn y sefydliad. Gelwid ei ddilynwyr 'Y Mynachod Duon', yn naturiol ddigon gan fod eu gwisg yn ddu.

Llun 29:   Mynachod Duon yn y ffreutur.

Y Drefn feunyddiol

Pennaeth y fynachlog oedd yr Abad, a etholid gan y mynachod eu hunain, ac a barhâi yn ei swydd am weddill ei oes wedi iddo gael ei ethol. Roedd pedwar cyfnod pendant yn niwrnod y mynachod a

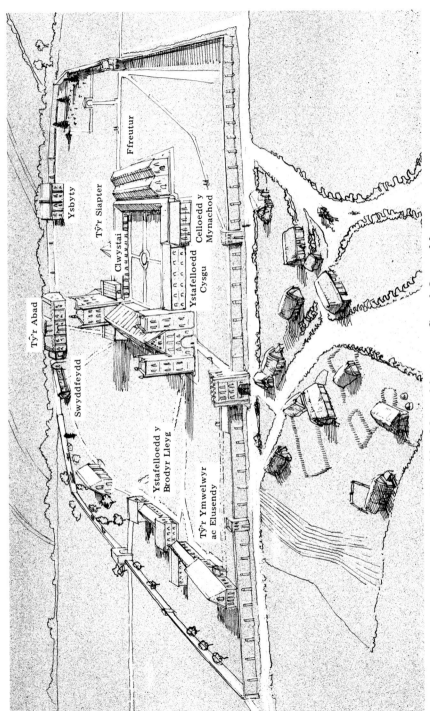

Ysbyty

Tŷ'r Siapter

Ffreutur

Tŷ'r Abad

Clwystai

Ystafelloedd
Cysgu

Celloedd y
Mynachod

Swyddfeydd

Ystafelloedd y
Brodyr Lleyg

Tŷ'r Ymwelwyr
ac Elusendy

Llun 30: Mynachlog yn y Canol Oesoedd.

71

berthynai i'r urdd hon: (a) cyfnod o wasanaeth yn yr eglwys; (b) cyfnod yn myfyrio ac yn darllen yn eu celloedd; (c) cyfnod i wneud 'gwaith tŷ'—darparu bwyd a glanhau'r adeilad; (ch) cyfnod o lafurio ar y tir, neu, os oedd ganddynt grefft, ei dilyn mewn gweithdy. Bu cryn feirniadaeth ar ymddygiad aelodau o'r urdd hon ar ôl rhai blynyddoedd, ond rhaid cofio, hefyd, bod llawer ohonynt yn ceisio byw bywyd hollol onest a dilyn delfrydau Bened Sant gan ufuddhau i'w holl reolau.

Yng Nghymru, sefydlodd Urdd y Benedictiaid fynachlogydd yn Llanbadarn, Aberteifi, Penfro, Caerfyrddin, Aberhonddu, y Fenni, Brynbuga, Trefynwy, Cas-gwent, Basaleg, Caerdydd, Ewenni a Chydweli.

Urdd y Sistersiaid

Y Sistersiaid, fodd bynnag, oedd yr urdd amlycaf yng Nghymru yn ystod y Canol Oesoedd. Ar ddechrau'r ddeuddegfed ganrif, o dan arweiniad gŵr o'r enw Sant Bernard, y daeth yr urdd hon i fri, mewn lle o'r enw Citeaux, i'r gogledd o Cluny, yn nwyrain Ffrainc. Roedd y mynachod hyn yn barod i aberthu mwy na'r Benedictiaid, yn fodlonach eu byd mewn ardaloedd unig, diarffordd, ac yn symlach

Llun 31: Mynach Gwyn wrth ei waith yn y sgriptoriwm.

eu hagwedd a'u haddoli. Roedd y Benedictiaid yn hoff o rwysg ac ysblander, ac addurnent eu muriau â cherfluniau hardd, er mwyn pwysleisio mawredd Duw. Roedd bywyd y mynach gwyn yn fwy hunan-aberthol ac yn fwy caeth. Rhaid oedd ufuddhau i reolau ynglŷn â bwyta, er enghraifft. Dyma'r gwŷr a enillodd enwogrwydd am eu medr yn trin y tir, ac yn arbennig am eu medr fel ffermwyr defaid a bugeiliaid. Hyd yn oed yn yr oes hon allforid llawer o wlân o Gymru i wledydd estron.

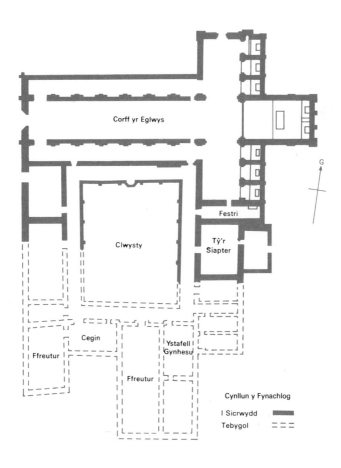

Corff yr Eglwys

G

Festri

Clwysty

Tŷ'r Siapter

Cegin

Ystafell Gynhesu

Ffreutur

Ffreutur

Cynllun y Fynachlog

Sicrwydd

Tebygol

Llun 32: Mynachlog Ystrad-fflur : Cynllun.

73

Llun 33: Ystrad-fflur yn adfeilion.

Ystrad-fflur

Sefydlwyd llawer o fynachlogydd gan y Sistersiaid yng Nghymru mewn lleoedd megis Maes-glas, Cymer, Aberconwy, Glyn-y-groes, Ystrad Marchell, Cwm-hir, Ystrad-fflur, Hendy-gwyn ar Daf, Castell-nedd, Margam, Llantarnam a Thyndyrn. Yr enwocaf o'r rhain i gyd yw Ystrad-fflur yng Ngheredigion. Yr Arglwydd Rhys, noddwr Eisteddfod Aberteifi, a noddodd y fenter hon hefyd. Sylweddolai cystal gwŷr oedd y Sistersiaid ac ni phetrusodd roi caniatâd iddynt sefydlu mynachlogydd ar ei dir yn Hendy-gwyn ar Daf ac yn Ystrad-fflur ar borfeydd breision Pumlumon. Wedi'r cwbl, roedd y rhain yn wŷr bucheddol, yn hoff o weddïo mewn tawelwch, yn awyddus i ddarllen a deall yr Ysgrythurau ac yn frwdfrydig i gasglu gwybodaeth eang. Ar dir y fynachlog yn Ystrad-fflur adeiladodd y Sistersiaid eglwys a oedd yn ddigon o ryfeddod, ac i honno y cyrchai'r mynachod i weddïo. Eglwys y Santes Fair oedd hon.

Roedd mynachod Ystrad-fflur yn bobl hynod iawn, yn garedig wrth y tlawd a'r anghenus, ac yn barod i wasanaethu'r gymdeithas. Cynhaliai'r rhain ysgol i feithrin diwylliant ac i hyfforddi'r bechgyn hynny yn yr ardal a fyddai'n awyddus i dderbyn addysg. Roeddynt yn hoff iawn o ysgrifennu ar eu liwt eu hunain ar bob math o themâu.

Ganddynt hwy y lluniwyd *Brut y Tywysogion*, llyfr cynnar iawn sy'n disgrifio awyrgylch a digwyddiadau'r cyfnod nid yn unig yn Ystrad-fflur ei hun, ond yng Nghymru ac yn wir yn y byd i gyd. Dyma gampwaith o'r Canol Oesoedd, yn trosglwyddo inni ddarlun o'n gwlad a'n cenedl yn ystod y cyfnod hwn. Dyma ymateb un o feirdd mawr yr ugeinfed ganrif i hanes ac awyrgylch Ystrad-fflur:

> Mae dail y coed yn Ystrad Fflur
> Yn murmur yn yr awel,
> A deuddeng Abad yn y gro
> Yn huno yno'n dawel.
>
> Ac yno dan yr ywen brudd
> Mae Dafydd bêr ei gywydd,
> A llawer pennaeth llym ei gledd
> Yn ango'r bedd tragywydd.
>
> Er bod yr haf, pan ddêl ei oed,
> Yn deffro'r coed i ddeilio,
> Ni ddeffry dyn, a gwaith ei law
> Sy'n distaw ymddadfeilio.
>
> Ond er mai angof angau prudd
> Ar adfail ffydd a welaf,
> Pan rodiwyf ddaear Ystrad Fflur
> O'm dolur ymdawelaf.
>
> T. Gwynn Jones

Rhaid cofio, hefyd, fod dau leiandy a berthynai i Urdd y Sistersiaid yng Nghymru, sef Lleiandy Llanllugan ym Mhowys a Lleiandy Llanllŷr yng Ngheredigion, Dyfed.

(ii) Y Brodyr

Sefydlu urddau gwahanol

Erbyn diwedd y ddeuddegfed ganrif, fodd bynnag, credai rhai fod y mynachod yn ymneilltuo gormod oddi wrth y werin bobl. Tybid nad oedd gan y mynachod athrawon crefyddol, cyfrifol a'u bod yn cael cyfle i fagu syniadau cyfeiliornus am Iesu a'i ddilynwyr. Achub eu heneidiau eu hunain oedd prif nod y mynachod wedi'r cwbl. Ond yn sicr, yn yr oes honno, roedd angen hefyd achub eneidiau llawer o bobl eraill, a dyna oedd nod yr urddau o frodyr a sefydlwyd yn y ganrif ddilynol. Ni chredent hwy fod yn rhaid iddynt eu caethiwo eu hunain y tu mewn i furiau mynachlog. Y peth pwysig oedd cymysgu â phobl gyffredin a'u helpu drwy eu cyfarwyddo a'u harwain mewn materion crefyddol ac yn eu problemau materol, beunyddiol. Y ddau sant a fu'n gyfrifol am sefydlu'r urddau enwocaf o'r math hwn oedd Sant Ffransis a Sant Dominic.

(a)   Sant Ffransis a'i ddilynwyr

Roedd Ffransis yn byw mewn tref o'r enw Assisi yn yr Eidal yn ystod y drydedd ganrif ar ddeg. Mab i fasnachwr cefnog ydoedd. Yn ei ieuenctid, antur a phleser dibwrpas a garai fwyaf mewn bywyd. Ymffrostiai yn ei gyfoeth a gwariai ei arian yn ofer arno'i hun a'i gyfeillion hynaws a ffals a gyrchai'n fintai i'w gwmni. Hwyl a menter oedd eu nod, ac roeddynt yn euog o bob math o branciau a thriciau yn yr ardal. Rhai byrbwyll, eofn oedd y rhain, a phan fu gwrthdaro rhwng trigolion Assisi a thrigolion Perugia gyfagos, roedd Ffransis a'i gyfeillion, wrth gwrs, ar flaen y gad, a Ffransis mor orhyderus nes cael ei gipio'n garcharor.

Tröedigaeth

Bu'n garcharor am flwyddyn gron, tymor hir i ŵr bonheddig fod mewn caethiwed, ac yn ddiau, yn ystod y cyfnod hwn yn ei fywyd y cafodd gyfle i feddwl o ddifrif ynghylch pethau. Wedi iddo gael ei ryddhau, bu'n ddifrifol wael, a phan oedd rhwng byw a marw, teimlai'n edifar oblegid oferedd ei orffennol. Penderfynodd droi dalen newydd, pe byddai iddo wella. Daeth ato'i hun — nid gŵr ymffrostgar ydoedd bellach, ond un a hoffai'r encilion, gweddïo yn y dirgel, a helpu'r tlawd a'r anghenus heb dynnu sylw ato ef ei hun.

Dirmyg cyfeillion

Toc, aeth ar bererindod i Rufain a phan ddychwelodd roedd yn llawn o addunedau. Iesu Grist oedd ei arwr, bellach. Credai yn awr, gan fod y Gwaredwr wedi Ei amddifadu Ei hun o bob braint faterol, y dylai ef aberthu yn yr un modd. 'Ffŵl!' meddai ei hen gyfeillion wrtho pan welsant ef yn gwisgo sachliain ac yn prin fwyta. Ond anwybyddai hwy. Erbyn hyn roedd wedi sylweddoli mai llwybrau ffôl a ddilynasai yn y gorffennol a phenderfynodd ddilyn llwybr newydd yn y dyfodol.

Ffransis a byd natur

Yn y cyfnod hwn roedd Ffransis wedi dotio'n lân ar fyd Natur, ond i Dduw y rhoddai'r clod i gyd. Dechreuodd bregethu a thestun ei bregeth, gan amlaf, oedd prydferthwch y ddaear a greodd Duw ei hun. Dylai pob dyn garu'r ddaear ffrwythlon a pharchu'r greadigaeth yn gyffredinol. Gwae'r gŵr a oedd yn greulon tuag at anifail neu aderyn —

Llun 34: Sant Ffransis yn siarad â'r adar (yn ôl darlun gan Giotto).

y rhain oedd ei frawd a'i chwaer mewn gwirionedd. Roedd yntau'n
byw ei genadwri, gan siarad â phob anifail, aderyn a blodyn y deuai
i gysylltiad â hwy, fel pe baent yn berthnasau iddo. Pan oedd yn
pregethu un tro, daeth haid o wenoliaid uwch ei ben. Roedd eu
trydar mor swnllyd fel mai prin y gallai gwrandawyr Ffransis ei glywed.
'Da chi,' meddai wrth yr adar uwchben, 'byddwch ddistaw, a
gwrandewch ar fy neges, gyda'r bobl hyn.' Bu tawelwch, yn ôl yr hanes,
a phob gwennol yn cadw'n llonydd i wrando'n berffaith dawel ar neges
bwysig Ffransis.

Ei farw

Yn y flwyddyn 1224 cafodd Ffransis freuddwyd neu weledigaeth o angel yn cael ei groeshoelio. Hyd yn oed yn ei isymwybod teimlai Ffransis ryw gydymdeimlad mawr â'r dioddefwr. Pan ddeffrôdd, sylwodd fod clwyfau tebyg i rai'r angel ar ei gorff ef ei hun, ac yntau heb ei groeshoelio. Ond am y ddwy flynedd ganlynol bu raid i'r sant ddioddef poen arteithiol hyd at ei farw, ac yntau bron yn ddall, yn y flwyddyn 1226.

Llun 35: Brawd Llwyd yn pregethu.

Addunedau'r Brodyr Llwyd

'Y Brodyr Llwyd' oedd yr enw a roddwyd ar ddilynwyr Sant Ffransis. Sefydlodd ei urdd yn y flwyddyn 1209. Roedd yn rhaid i aelodau'r urdd hon addo ufudd-dod, purdeb a byw mewn tlodi. Nid oedd hawl ganddynt ar na chyfoeth nac eiddo (ar wahân i'w cartrefi ac weithiau eu haddoldai). Cardota am eu cynhaliaeth a wnâi llawer ohonynt. Dyma rai o'r priordai a sefydlodd y Brodyr Llwyd yng Nghymru: Llan-faes (ar Ynys Môn), Caerfyrddin a Chaerdydd.

(b) Sant Dominic a'i ddilynwyr

Un arall a sefydlodd urdd o frodyr oedd Sant Dominic. Ganwyd ef i deulu o uchelwyr yn Calaroga yn Sbaen, yn y flwyddyn 1170. Cafodd ei hyfforddi'n offeiriad ac yna bu'n gwasanaethu'n ganon yn Eglwys Gadeiriol Osma, ond cymaint oedd ei allu cynhenid nes cael ei ddyrchafu'n bennaeth ar yr holl offeiriaid yno. Yn y flwyddyn 1205, daeth neges oddi wrth y Pab Innocent III, yn dweud wrth Dominic fod pethau'n ddrwg yn Ne Ffrainc a bod yn rhaid iddo fynd yno ar unwaith. Roedd syniadau cyfeiliornus ar gerdded yn y rhanbarth — fod dau Dduw yn bod, un da ac un drwg. Credai trigolion yr ardal hefyd fod hunanladdiad yn weithred sanctaidd.

Dial milwyr y Pab

Am bron i ddeng mlynedd, bu Dominic a'i ddilynwyr yn ceisio argyhoeddi pobl yr ardal fod eu syniadau'n gyfeiliornus. Ond gan fod y Pab yn anfodlon ar y sefyllfa ar ddiwedd y cyfnod hwn, anfonodd ei filwyr i ddial ar yr hereticiaid hyn. Yn ôl yr hanes, bu milwyr y Pab yn greulon ac yn ddidostur. A oedd Dominic ei hun yn arwain y fintai? Mae rhai'n honni ei fod, ond haws tybio iddo ef gredu y gallai ddenu'r bobl hyn yn heddychlon drwy berswâd geiriau yn hytrach na thrwy rym arfau.

Sefydlu Urdd y Dominiciaid

Lliniarwyd yr anghydfod a bu heddwch yn y gymdogaeth, a Dominic yn cael ei gyfle i ffurfio'i urdd ef ei hun o frodyr. Ei haelodau cyntaf oedd y gwirfoddolwyr a'r dilynwyr hynny a geisiai argyhoeddi trigolion De Ffrainc mai cyfeiliorni yr oeddynt, cyn i luoedd y Pab ymosod. Yn y flwyddyn 1214 y sefydlwyd Urdd y Dominiciaid ac ymhen saith mlynedd bu farw Dominic. Ond roedd sylfaen gadarn i'r urdd hon a chynyddodd yr aelodaeth erbyn y flwyddyn 1234. Dyna pryd yr anrhydeddodd y Pab Gregori IX sefydlydd yr urdd â'r teitl 'Sant Dominic'.

Prif nod

Yn wahanol i'r Ffransisiaid, a oedd yn hoff o bregethu, prif nod y Dominiciaid oedd addysgu'r werin bobl. Dulliau ysgol oedd eu dulliau hwy — dysgu syniadau crefyddol cywir i'w gwrandawyr. Roedd eu gwersi'n ddiddorol ac yn dreiddgar a'u traddodi'n afaelgar ac yn ddeniadol. Yng Nghymru, sefydlodd y Dominiciaid briordai ym Mangor (Gwynedd), Rhuddlan (Clwyd), Hwlffordd (Dyfed), Aberhonddu (Powys), a Chaerdydd, ein prifddinas. Gelwid dilynwyr Dominic yn 'Frodyr Duon'.

Llun 36: Brawd Du yn cysuro teulu tlawd.

Urddau eraill yng Nghymru

Buom yn sôn am y prif sefydliadau crefyddol yng Nghymru yn ystod y Canol Oesoedd ond nid y rhain oedd yr unig rai. Roedd gan y Carmeliaid (Y Brodyr Gwyn) sefydliad yn Ninbych (Clwyd). Roedd gan yr Awstiniaid sefydliadau ym Mhenmon (Môn), Beddgelert (Arfon), Llanddewi Nant Hodni (yng Ngwent), a Chaerfyrddin. Roedd gan y Cluniaid ganolfannau mewn lleoedd megis Sanclêr a Chasnewydd, a chan y Tironiaid ganolfannau yn Llandudoch (ger Aberteifi), ac ar Ynys Bŷr.

YMARFERION

1. Sut eglwysi oedd y rhai Normanaidd? Tynnwch lun o ran o eglwys Normanaidd, a'i liwio.

2. Lluniwch siart â lluniau a nodiadau i ddangos y gwahanol urddau o fynachod a geid yng Nghymru yn ystod y Canol Oesoedd.

3. Tynnwch lun mynachlog o'r Canol Oesoedd.

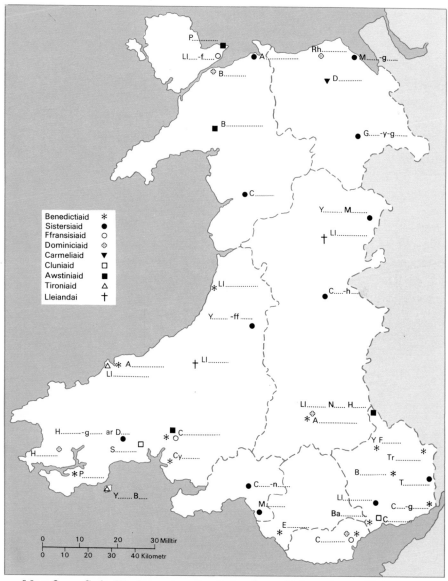

Map 8:   Sefydliadau mynachod, brodyr a lleianod yng Nghymru.

4.   Dysgwch y gerdd 'Ystrad Fflur' (T. Gwynn Jones).

5.   Ysgrifennwch ddeialog rhwng Sant Ffransis a chyfaill iddo — y sant yn adrodd ei brofiad a'r cyfaill yn amau ei eiriau.

6.   Pa wahaniaethau a geid rhwng y Brodyr a'r Mynachod? Tynnwch lun y canlynol: Brawd Llwyd a Brawd Du.

7.   Copïwch Fap 8 gan lenwi'r bylchau.

PENNOD 5

CYFNOD GERALLT GYMRO

A. RHYFELOEDD Y GROES

Y ddwy groesgad gyntaf

Un o broblemau mawr y Canol Oesoedd oedd y Dwyrain Canol. Yn y cyfnod hwnnw roedd llwyth anystywallt y Saraceniaid, dilynwyr Mohamed, yn cam-drin y Cristionogion a drigai yn Jerwsalem a'r cylch trwy ymosod arnynt. Ymosodent hefyd ar y sawl a gyrchai o Ewrop i'r Ddinas Sanctaidd ar bererindod. Yn y flwyddyn 1095, â'r Saracen wedi meddiannu Jerwsalem, penderfynodd y Pab Urban II gasglu byddin i geisio adennill y ddinas. Llwyddodd y fenter, ac am flynyddoedd, y Cristionogion oedd y prif drigolion. Ond nid oedd y Saraceniaid yn fodlon ar y sefyllfa, a thua'r flwyddyn 1147 bu ymosodiad eto, a hwy a enillodd y dydd y tro hwn. Er hynny, bu brwydro am flynyddoedd lawer yng nghyffiniau'r Ddinas Sanctaidd.

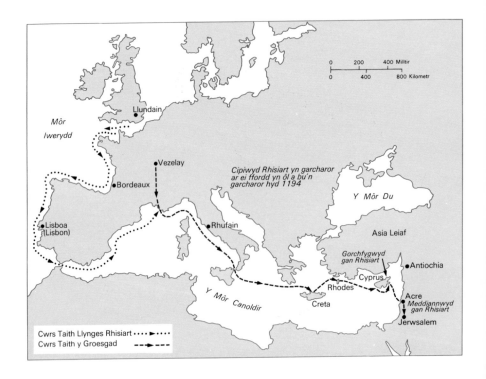

Map 9:   Hynt lluoedd Rhisiart yn y Drydedd Groesgad.

Y Drydedd Groesgad

Ond yn y flwyddyn 1187 arweiniodd y Brenin Saladin ei fyddin fawr i'r fangre a goresgyn y wlad gan feddiannu dinas Jerwsalem am yr eildro. Codwyd arswyd ymhlith y Cristionogion yn Ewrop a chytunodd arweinwyr rhai o'r prif wledydd i drefnu byddin. Un o'r arweinwyr hyn oedd Rhisiart Lew a ddaeth i orsedd Lloegr yn y flwyddyn 1189. Roedd ganddo ef fwy o ddiddordeb mewn cyfrannu o'i adnoddau i hybu ymgyrch o'r fath i'r Dwyrain Canol nag mewn llywodraethu yn ei wlad ei hun.

Ffurfio Byddin y Groes

Bwriad Rhisiart, felly, oedd codi byddin o Brydeinwyr i ymladd yn y Dwyrain Canol. Archesgob Caergaint, sef gŵr o'r enw Baldwin, a ddewiswyd i annog gwirfoddolwyr i ymuno â'r ymgyrch. Roedd angen cenhadu yng Nghymru yn ogystal ag yn Lloegr, a chan fod yr Archesgob yn ddieithryn roedd yn rhaid cael cydymaith a wyddai am Gymru a'i phobl, am eu syniadau, eu harferion a'u dewrder fel milwyr dros achos Crist. Gŵr o'r enw Gerallt oedd dewis yr Archesgob.

B. IEUENCTID GERALLT

Mae'n debyg mai yn y flwyddyn 1146 y ganed Gerallt o dras Gymreig-Normanaidd. Mewn gwirionedd, roedd yn fwy o Norman nag o Gymro, er mai Rhys ap Tewdwr oedd ei hen-daid.

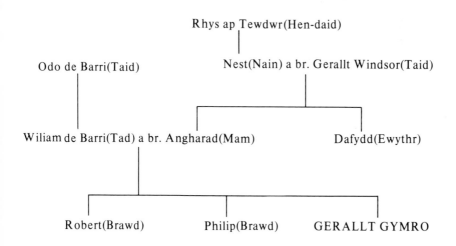

Llun 37: Achau Gerallt Gymro.

83

Llun 38:   Castell Maenorbŷr fel y mae heddiw.

Yng nghastell Maenorbŷr yr oedd Wiliam de Barri a'i wraig Angharad, wyres Rhys ap Tewdwr, yn byw. Roedd ganddynt feibion eisoes, ond dyma eni mab arall iddynt a'r enw a roddwyd arno oedd Gerallt. Castell Normanaidd ar arfordir De Cymru oedd castell Maenorbŷr, ac efallai mai dyna'r rheswm i ddylanwad y Norman fod yn gryfach arno na dylanwad y Cymro. Ond yn ôl ei dystiolaeth ef ei hun, roedd cyfnod ei blentyndod yn un hapus ac yntau'n gorfoleddu yn ei gartref cysurus a godidog. Mae'n arwyddocaol, a'r teulu'n byw ar fin y traeth, fod y brodyr hŷn wrth chwarae yn y tywod yn adeiladu cestyll, caerau a threfi, ond mai cynllunio eglwysi, mynachlogydd a phriordai a wnâi Gerallt.

Addysg Gerallt

Ei ewythr, Dafydd (David Fitzgerald), Esgob Tyddewi, oedd ei arwr, ac o dan ei fantell ef y dysgodd am yr alwedigaeth offeiriadol — sut i gynnal gwasanaethau, sut i weinyddu a sut i ymdrin â thir yr esgobaeth. Addysgodd ei ewythr ef mewn ieithoedd estron, yn enwedig Lladin, ond gresyn na chafodd fawr ddim o gyfarwyddyd yn y Gymraeg. Wedi cael ei hyfforddi am gyfnod gan ei ewythr, bu'n ddisgybl yn Abaty Sant Pedr yng Nghaerloyw ac ym Mhrifysgol Paris. Bu yno am flynyddoedd, yn gyntaf fel myfyriwr, yna fel athro. Ar ôl gyrfa lwyddiannus dychwelodd i Brydain. Cyn gynted ag y glaniodd, gwahoddodd Harri II ef i dderbyn gofal o'i fab, John, a bod yn gydymaith iddo ar daith i Iwerddon. Am dridiau'n unig y parhaodd yr ymweliad, ond bu Gerallt yn ddigon craff a sylwgar i allu llunio erthygl eithaf manwl a bachog am yr Ynys Werdd.

C. TAITH GERALLT DRWY GYMRU

Roedd Gerallt yn ddi-os yn llenor dawnus, a chafodd gyfle i gofnodi ei daith trwy Gymru wrth iddo geisio hudo gwreng a bonedd y wlad i ymuno ym Myddin y Groes. Bu wrthi'n ddiwyd iawn am chwe wythnos, a'r Archesgob Baldwin wrth ei benelin, yn ceisio cael y Cymry i ymwroli ac ymuno â'r fyddin a fyddai'n teithio i Balestina.

Cychwyn y daith

Dechreuwyd y daith yn Henffordd ar ddydd Mercher y Lludw, 1188. Cwynai'r Archesgob Baldwin ei fod wedi blino ond roedd Gerallt yn llawn egni ac yn edrych ymlaen at y daith. Roedd ganddo ddiddordeb arbennig yn anifeiliaid ac adar Cymru. Roedd ganddo ddiddordeb hefyd yn ofergoelion y genedl ond yn bennaf oll yn y bobl eu hunain. Roedd ef ei hun yn ymhyfrydu yn ei arabedd a'i hiwmor parod, a chan ei fod yn canfod nodweddion cyffelyb yn y Cymry, roedd yn edrych ymlaen at y daith a'r cenhadu.

(i)   Y Daith yn y De

Apêl yr Archesgob a'r ymateb

O Henffordd, aethant i Faesyfed, ac yno ymunodd Esgob Tyddewi â hwy ac ymwelodd yr Arglwydd Rhys â hwy hefyd i'w croesawu i Gymru. Nid oedd ef, fodd bynnag, am ymuno â'r genhadaeth nes iddo gael gair â'i wraig, Gwenllian. Yn ei apêl ym Maesyfed ceisiai'r Archesgob Baldwin ddenu gwŷr ieuainc yr ardal i ymuno â'r ymgyrch trwy adrodd storïau rhamantus a deniadol am brofiadau'r rhai a fu ar bererindodau ym Mhalestina yn y gorffennol. Roedd gan y gwrandawyr hanesion am ddigwyddiadau mwy trawiadol a syfrdanol yn eu hardal hwy eu hunain, fodd bynnag, ac roedd eu hymateb ar brydiau braidd yn gellweirus. Ond ymunodd amryw o'r ardal â Byddin y Groes.

Stori ofergoelus

Aeth y cwmni ymlaen drwy Saint Harmon, y Gelli a Llanddewi i Aberhonddu. Yno, bu raid i Gerallt wrando ar stori ofergoelus rhyw hen ŵr. Pan oedd hwn yn fachgen roedd wedi ceisio lladrata cywion colomen a oedd wedi nythu yn eglwys yr ardal. Er syndod iddo, aeth ei law yn sownd yn y garreg lle'r oedd y nyth. Ni chofiai sut y cafodd ei law yn rhydd, ond wrth iddo adrodd y stori, sylwai Gerallt ar y creithiau ar fysedd a bawd yr hen ŵr.

Ateb parod

Ymlaen o Aberhonddu i'r Fenni a Brynbuga. Yma, cafodd yr Archesgob foddhad mawr. Ei bryder mwyaf, hyd yma, oedd amharodrwydd y gwragedd i'w gwŷr eu gadael i fynd ar antur fel hon. Ond pan ofynnodd i un o wŷr Brynbuga a fyddai ei wraig yn cydsynio iddo ymuno â'r fyddin, ei ateb oedd 'Gwaith gŵr cydnerth yw hwn; nid rhaid gofyn cyngor gwraig.' Ymlaen wedyn i Gaerllion. Yma bu caer Rufeinig enwog unwaith. Yma, datgelodd Gerallt ei fod o'r farn fod gwythïen lo yn ymestyn o Gaerllion i'r gorllewin ac anogodd ei wrandawyr i fod yn gydwybodol ac yn weithgar, er budd eu cenedl. Yng Nghasnewydd, cofiai Gerallt y stori am farch y Brenin Harri II yn cael braw wrth weld cyrn hirlas y Cymry a'r brenin yn gwylltio. Ac wrth weld castell Caerdydd daeth cof plentyn iddo am wrhydri Ifor Bach Senghennydd yn y flwyddyn 1158.

Sŵn anghyffredin

Yn ei atgofion am y daith, wrth fynd heibio i Ynys y Barri, dywed Gerallt iddo glywed sŵn od yn dod o dwll yn y graig — sŵn chwythu meginau, sŵn morthwylion ar eingionau, sŵn gofaint wrth eu gwaith. Ai proffwydoliaeth oedd hon am chwyldro diwydiannol y ddeunawfed ganrif, tybed? Na, mae'n siŵr mai llais cynddaredd y tonnau yn y ceubwll oedd y sŵn.

Digwyddiad cyffrous

Ym Margam cafwyd croeso cynnes iawn, ond bu cryn gyffro wrth groesi'r sugndraeth oddi yno i Gastell-nedd, er bod Morgan, arglwydd yr ardal, yn dywysydd iddynt. Yn wir, bu bron i'r pynfarch a gludai holl lyfrau Gerallt suddo yn y tywod meddal, ond wrth lwc cafodd ei achub cyn iddo ddiflannu'n llwyr.

Gwers bwysig

Daeth y fintai wedyn i Benrhyn Gŵyr ac Abertawe. Cawn yr argraff nad yr un bregeth a draddodai Gerallt ym mhob man, na'r un storïau chwaith. Yn Abertawe, er enghraifft, mae sôn iddo adrodd yr hen stori adnabyddus a glywsai gynt gan ei ewythr Dafydd — stori Elidorus. Mae'n debyg mai'r wers y ceisiai ei dysgu yma i'r Cymry oedd nad yw diogi ac osgoi dyletswyddau byth yn talu yn y diwedd. Tybed a oedd Gerallt yn ceisio hudo gwŷr a oedd heb lawer i'w wneud i rengoedd Byddin y Groes?

Atgofion trist

Ymlaen wedyn i Gydweli, lle'r oedd castell arglwydd o'r enw Morys o Lundain, sef y sawl a fu mor ddidrugarog wrth Gwenllian, gwraig Gruffydd ap Rhys, pan oedd y Normaniaid a'r Cymry yn ymladd yn ffyrnig yn yr ardal rai blynyddoedd ynghynt. Wedyn cyrraedd Caerfyrddin, man geni'r dewin, Myrddin, yn ôl rhai chwedlau.

Llun 39: Gerallt Gymro (Cerflun yn Neuadd y Ddinas, Caerdydd).

Tristaodd Gerallt wrth weld yr adfeilion ac olion y brwydro cynddeiriog
a fu rhwng ei gyndadau o ochr ei fam ar y naill law a'i gyndadau o
ochr ei dad ar y llaw arall. Ychydig o sylwadau a wna yn ei atgofion am
yr ymweliad hwn, a hawdd deall hynny. Yna, ar ei daith o Gaerfyrddin
i Hendy-gwyn ar Daf, daeth ef a'i fintai ar draws corff Cymro ifanc a
oedd wedi ei lofruddio, ac yntau ar ei ffordd i gyfarfod â hwy. Cafwyd
prawf mai deuddeg saethydd o Sanclêr a oedd yn euog o'r drosedd a'u
gorfodi i ymuno â'r Drydedd Groesgad oedd y gosb.

Pregethu yn Ffrangeg

Ychydig o Gymry a oedd yng nghynulleidfa Gerallt yn Hwlffordd. Pobl weithgar, fentrus, anturus Fflandrys oedd cnewyllyn poblogaeth yr ardal hon, fel y gwelsom eisoes. Penderfynodd Gerallt bregethu iddynt yn Ffrangeg a Lladin. Ni wyddai Gerallt a oeddynt yn deall pob gair ai peidio, ond cysurwyd ef pan ddaeth llu o wirfoddolwyr o'u mysg i ymuno yn y rhengoedd.

Castell Maenorbŷr

Wrth deithio ymlaen ar hyd copaon y bryniau, syllai Gerallt yn edmygus ar harddwch yr olygfa. Daeth castell Penfro i'r golwg, lle'r ymgartrefodd ei daid, Gerallt Windsor, a'i nain, Nest, merch Rhys ap Tewdwr. Ac mae'n siŵr i ddeigryn ddod i'w lygaid pan gyrhaeddodd Faenorbŷr, hen fangre ei febyd. Syllodd yn hir ar Gastell Maenorbŷr — y tyrau bychain, y pwll pysgod, y berllan bersawrus, y felin, y ffrwd o ddŵr rhedegog, gloyw, glân a'r coed cyll talsyth.

Tyddewi

Daethant i olwg Tyddewi. Unwaith eto, awyrgylch digon o ryfeddod, gwlad o hud a lledrith a Dyffryn y Rhosynnau islaw ond heb flodau'n tyfu yno ar y pryd. Dyma'r ardal lle nad oedd ar jac-y-do ofn gŵr a wisgai ddu, ac yma hefyd, yn ôl y sôn, roedd carreg felltith adnabyddus iawn. Mae stori i Harri II sathru'n haerllug braidd ar y garreg hon a rhyw hen wraig yn gweiddi melltith arno yn ôl proffwydoliaeth y dewin Myrddin. Pan sylweddolodd y brenin, fodd bynnag, na chawsai niwed, troes yn ddirmygus at yr hen wraig a gofyn 'Pwy a gred Myrddin yn awr?'

Pregethu a'r ymateb

Taith diwrnod o Dyddewi ac roedd y cwmni wedi cyrraedd mynachlog Llandudoch, lle daeth yr Arglwydd Rhys i'w croesawu unwaith eto. Traddododd yr Archesgob Baldwin a Gerallt eu pregethau a chyflwyno eu neges yn rymus ar faes eang uwchben afon Teifi, a Rhys a'i ddau fab, Maelgwn a Gruffydd, yn gwrando arnynt, ynghyd â chynulleidfa fawr. Ond nid ystyried ymaelodi ym Myddin y Groes oedd prif ddiddordeb y mwyafrif, ond gweld a allai'r cenhadon hyn gyflawni gwyrthiau. Unig sylw Gerallt yn ei atgofion oedd fod afon Teifi mor urddasol — yr eog yn neidio i wyneb y dŵr a'r afanc yn adeiladu ei gronfur.

Diwedd y daith yn y De

Wedi pregethu yn Llanbedr Pont Steffan, treuliodd y cenhadon y noson yn abaty Ystrad-fflur a'r Arglwydd Rhys a'i ddau fab gyda hwy.

Daeth un arall o feibion Rhys — Cynwrig — yno, hefyd. Ceisiodd yr Archesgob Baldwin hudo rhai o'r aelodau i ymuno yn y groesgad, ond Maelgwn yn unig a wnaeth unrhyw fath o addewid. Oddi yno teithiodd y cenhadon ymlaen i Landdewibrefi (lle pwysig iawn yn hanes ein nawddsant), ac yna i Lanbadarn a threulio noson yno. Daeth rhyw abad atynt yn Llanbadarn a rhoddi croeso arbennig iawn iddynt. Wedi gweld hyn, daeth nifer o'r trigolion at Gerallt gan gwyno bod yr abad hwn yn un dauwynebog. Yn aml, wrth gerdded ar hyd ystlys yr eglwys i wasanaethu wrth yr allor, cariai hwn saeth yn ei law. Roedd Gerallt yn siomedig iawn o glywed hyn. Ond ymlaen yr aeth y fintai a chyrraedd glannau afon Dyfi lle trodd yr Arglwydd Rhys yn ei ôl — nid ef oedd ei thywysydd bellach.

(ii) Y Daith yn y Gogledd

Roedd yr ymgyrch yn y De wedi parhau am bum wythnos. Wythnos yn unig oedd gan Gerallt i ddenu gwirfoddolwyr yn y Gogledd, ac felly roedd yn rhaid brysio. Tywyn oedd y man cychwyn yn y Gogledd a gŵr o'r enw Gruffudd ap Cynan a estynnodd y croeso. Ef oedd ɣn gyfrifol am yr ardal hon ar y pryd. Erbyn cyrraedd Llanfair, yn ôl ei stori, cawsai Gerallt ei olwg gyntaf ar gopaon uchel mynyddoedd y wlad. Mae'n amlwg fod yr awdur yn gorliwio ei ddisgrifiadau wrth ddweud fod y cribau mor agos at ei gilydd fel y gallai bugeiliaid ar un grib ymgomio â bugeiliaid ar grib arall: pe dymunent gael sgwrs wyneb yn wyneb nid oedd yn bosibl iddynt gyfarfod â'i gilydd am ddiwrnod cyfan. Ymlaen unwaith eto i Nefyn a threulio Sul y Blodau yno. Bu'r ymateb yn un calonogol i'r Archesgob Baldwin ac ymunodd llawer yn yr ymgyrch.

Blinder yn Nant-y-garth

Brysiodd y cwmni wedyn am Gaernarfon, a chael taith eithaf hwylus, ond ar eu taith oddi yno i Fangor ar hyd y llechweddau, roedd cwyno di-ben-draw ymysg yr aelodau wrth iddynt deithio ar droed ar hyd llwybrau caregog, caled. Ac yntau ar flaen yr osgordd ac wedi blino'n llwyr, eisteddodd yr Archesgob Baldwin ar foncyff derw a throi at ei ddilynwyr a gofyn yn ei ludded, gan led-wenu, pwy o'i wrandawyr a allai chwibanu bellach. Roedd pob aelod o'r cwmni wedi colli ei wynt yn lân. Aeth yr ymddiddan ymlaen a phawb yn cwyno am eu trafferthion a'u doluriau ar y daith, a'r Archesgob yn eu plith yn cyd-weld. Yna, pynciodd rhyw aderyn gân uwch eu pennau. Gofynnodd un o'r cwmni: 'Pam nad yw'r eos byth yn canu yng Nghymru?' 'Mae'n ddoeth iawn,' meddai Baldwin, 'ac rydym ninnau'n annoeth iawn yn ymdrechu i droedio ar hyd llwybrau mor erwin a diarffordd â'r llwybrau sydd yng Nghymru.'

Ar Ynys Môn

Ym Mangor, roedd yr esgob yno yn aros i'w croesawu ac fe'u gwahoddodd hwy i groesi afon Menai i ymweld ag Ynys Môn. Cyfarfu Rhodri, mab Owain Gwynedd, â hwy ac eisteddodd ef a'i osgordd i wrando ar apêl yr Archesgob Baldwin ar graig uwchben. Cymysg oedd yr ymateb yma: rhai'n cytuno i wasanaethu ar unwaith ond rhai llanciau'n gwawdio ac yn gwneud hwyl am ben y traethydd. Yn ôl Gerallt, ymosodwyd ar y rhain gan ladron ychydig ddyddiau wedyn, a chafodd rhai ohonynt eu lladd. Dychrynodd y lleill gan gredu mai cosb Duw oedd yr ymosodiad arnynt, ac ymunodd amryw ohonynt â'r Groesgad.

Yn hanes ei daith trwy Gymru, nododd Gerallt pa mor ffrwythlon oedd Ynys Môn. Doedd ryfedd i'r ynys gael ei chydnabod yn 'Fôn, mam Cymru'! Cyfeiriodd hefyd at Ynys Seiriol (Ynys Lannog), gan drafod yr hen chwedl amdani. Yn ôl y sôn, pan fyddai cweryla ymysg y saint yno, byddai llygod bach yn heidio i'r fan ac yn ysglyfaethu eu bwyd a'u cynhaliaeth. Roedd yn dda gan Gerallt dystio, fodd bynnag, na fu pla o lygod bach ar Ynys Seiriol nac yn un o ganolfannau'r Saint yng Nghymru, hyd y gwyddai. Cyfeiriai hefyd at ddigwyddiadau syfrdanol yn hanes yr ynys megis y stori am Huw Amwythig yn halogi Eglwys Llandyfrydog trwy gadw ei helgwn yno dros nos, a'r un Huw yn cael ergyd i'w lygad gan y Llychlynwr, Magnus, pan oedd yn brwydro ar draeth Penmon. Wedi i aelodau'r fintai ddychwelyd i Fangor, aeth yr Esgob â hwy i mewn i'r eglwys gadeiriol a dangos iddynt gladdgell ddwbl Owain Gwynedd a'i frawd Cadwaladr o flaen y brif allor.

O Fangor i Ddyffryn Clwyd

Teithio o Fangor wedyn, ar hyd yr arfordir i Gonwy, a Gerallt yn tynnu sylw at y creigiau serth uwch eu pennau ar y naill law, a thonnau gwyllt y môr ar y llall. Wedi cyrraedd Conwy mae'n siŵr yr hoffai Gerallt fod wedi aros noson o leiaf yn Negannwy, lle'r oedd canolfan newydd ei sefydlu gan y Sistersiaid. Ond rhaid oedd prysuro ymlaen os oeddynt am gyrraedd Henffordd erbyn y Pasg. O Gonwy, felly, wedi croesi'r afon, daethant i Ddyffryn Clwyd ac ar wahoddiad Dafydd, mab arall i Owain Gwynedd, cael croeso yng nghastell Rhuddlan, a threulio'r noson yno. Drannoeth aethant i Lanelwy a gweinyddwyd yr offeren gan yr Archesgob yn yr eglwys gadeiriol yno.

Llun 40: Llygod Ynys Seiriol yn dwyn bwyd y saint cwerylgar.

Diwedd y daith yng Nghymru

Nid oedd angen, felly, oedi yn y cylch ac arweiniodd yr Archesgob Baldwin eu dilynwyr ac aros yn Ninas Basing, a'r bore wedyn teithio ymlaen i Gaer. Yn y cyffiniau hyn y bu raid i Harri II, flynyddoedd ynghynt, droi'n ôl oherwydd y sugndraeth ac yntau wedi rhoi ei fryd ar orchfygu Gogledd Cymru. Yn ei gyfeiriad at hanes y cyfnod hwnnw, soniodd Gerallt am Gymro a gafodd ei ladd a'i gorff yn cael ei adael ar y traeth am wythnos gron. Ond yn ei ymyl bu ei filgi ffyddlon yn gwylio ar hyd yr amser ac er ei fod ar ei gythlwng ni adawai i gorff ei feistr fynd yn ysglyfaeth bleiddiaid ac adar gwancus. Ac wedi iddynt sylwi ar ffyddlondeb y ci, rhoes y Saeson angladd urddasol, barchus i'r Cymro a fu'n feistr iddo, er mai gelyn ydoedd.

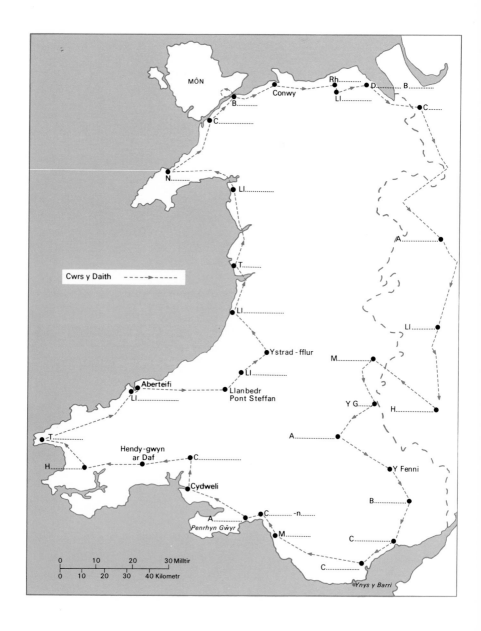

MÔN

Rh..........
Conwy
B............
C..............
N............
Ll..............
T...........
Ll................
Ystrad - fflur
Ll.................
Aberteifi
Ll......................
Llanbedr
Pont Steffan
T..................
Hendy-gwyn
ar Daf
H............
Cydweli
A..................
Penrhyn Gŵyr
C............ -n........
M..............
C...........
D.............
B................
C.......
A..................
Ll............
M.................
Y G.......
H...............
A.................
Y Fenni
B.................
C...............
C...............

Ynys y Barri

Cwrs y Daith ----->-----

0   10   20   30 Milltir
0 10 20 30 40 Kilometr

Map 10:   Taith Gerallt Cymro.

Owain Cyfeiliog

O'r diwedd, cyrhaeddodd y cwmni dir Lloegr, treulio'r Pasg yng Nghaer, ac yna ymweld ag Amwythig a Llwydlo cyn cyrraedd Henffordd unwaith eto. Yn ffinio â'r ardaloedd hyn, wrth gwrs, roedd Powys, ac mae'n arwyddocaol mai Owain Cyfeiliog, tywysog y rhanbarth, oedd yr unig un c dywysogion Cymru na ddaeth i unrhyw gysylltiad ag ymgyrch yr Archesgob Baldwin. Fe'i hesgymunwyd gan yr Eglwys oblegid ei agwedd lugoer. Mae'n siŵr fod Gerallt hefyd yn siomedig ynddo, ond yn ei ysgrifau nid yw'n dal dim dig tuag ato, dim ond gwerthfawrogi cyfraniad y tywysog ym myd llên gan gyfeirio at ei athrylith a'i anian, at ei gyfiawnder, ei ddoethineb a'i gymedroldeb wrth lywodraethu.

Cyrraedd y Dwyrain Canol a'r canlyniad

Ar ddiwedd yr ymgyrch canfuwyd bod cymaint â thair mil o Gymry wedi ymuno â Byddin y Groes — gwŷr dewr a medrus wrth drin bwa a gwaywffon. Ond mae'n sicr fod llawer ohonynt wedi amau doethineb eu penderfyniad ar ôl cyrraedd Palestina, a hwythau wedi aberthu cymaint: gadael eu gwlad, eu gwragedd a'u plant. Y rheswm am gymaint o oedi wedi iddynt gyrraedd y Dwyrain Canol oedd bod arweinwyr y cenhedloedd gwareiddiedig a Christionogol yn cweryla â'i gilydd cyn iddynt ddod i wrthdrawiad â'r Barbariaid hyd yn oed. Methiant, felly, fu'r ymdrech hon i geisio adennill dinas Jerwsalem i'r Cristionogion.

Sylwadau Gerallt ar Gymry'r Canol Oesoedd

Treuliodd Gerallt Gymro dymor y Grawys ym 1188 yng Nghymru ar daith gyda'r Archesgob Baldwin. Gan ei fod wedi cadw dyddiadur ar hyd yr amser, roedd ganddo nodiadau buddiol ar gyfer ysgrifennu llyfr am ei daith; bu'r llyfr yn ddefnyddiol iawn i haneswyr gan iddo roi darlun o Gymru a'i phobl yn y Canol Oesoedd. Daw i gasgliadau diddorol ynglŷn â'r genedl. Yn eu plith, mae'n nodi rhinweddau a gwendidau'r trigolion. Eu rhinweddau yn ei dyb ef oedd: (i) eu croeso a'u darbodaeth; (ii) eu harabedd a'u parodrwydd i ddeall; (iii) eu parch at grefydd a thraddodiad; (iv) eu gwroldeb mewn brwydr; (v) eu gallu diamheuol i ganu ac i adrodd yn gelfydd.

Yn ei farn ef, nid oedd ganddynt gymaint â hynny o wendidau, ond roedd ganddynt rai: (i) anwadalwch; (ii) eu bod braidd yn ddi-hid o addewidion ac yn tueddu i gefnu arnynt weithiau; (iii) eu bod yn hoff o gweryla ymysg ei gilydd; (iv) eu bod braidd yn ddi-asgwrn-cefn pe byddent yn colli mewn brwydr.

CH. UCHELGAIS GERALLT

Gan fod trigolion Cymru mor wahanol i drigolion Lloegr credai Gerallt y dylai ein cenedl ni gael ei Harchesgob ei hun, yn hytrach na bod o dan reolaeth Archesgob estron. Ond ei wir uchelgais oedd cael bod yn Esgob Tyddewi yn olynydd i'w ewythr, Dafydd. Bu farw Dafydd yn y flwyddyn 1176 ac er mai gŵr ifanc oedd Gerallt ar y pryd, ef a ddewiswyd yn olynydd gan esgobaeth Tyddewi ac Archesgob Caergaint. Ond roedd y Brenin Harri II yn gwrthwynebu hyn yn bendant. Er ei fod yn sylweddoli bod Gerallt o dras uchelwr ac yn gwerthfawrogi ei allu, ei ddawn a'i ddiffuantrwydd, ni dderbyniai'r brenin ei fod yn gymwys i fod yn esgob yng Nghymru. Ei ddewis ef oedd clerigwr o'r enw Peter de Leia ac roedd ei benderfyniad yn derfynol.

Perthynas Gerallt â Harri II

Ni ddangosodd Gerallt ddicter agored, er iddo gael ei siomi, mae'n amlwg, gan iddo ddychwelyd yn fuan i Ffrainc at ei astudiaethau a'i ymchwil ym Mhrifysgol Paris. Pan ddychwelodd i Gymru i ardal ei febyd, sylwodd ar unwaith ar y dirywiad a fu yn esgobaeth Tyddewi wedi marw ei ewythr. Ceisiodd unioni ambell gam er mwyn aelodau ffyddlon yr Eglwys yn y cylch, ond buan y sylweddolodd fod cymaint o broblemau wedi codi yn y cyfamser fel na allai ddatrys y cwbl ar unwaith, ac felly ffarweliodd â Chymru unwaith eto. Tua'r adeg yma cafodd wahoddiad i fod yn gaplan i'r brenin a theimlai fod yn rhaid iddo dderbyn y cynnig. Roedd Harri II yn uchel ei glod iddo yn y swydd hon, ac edmygai ei deyrngarwch, ei wyleidd-dra a'i ymddygiad bonheddig. Cafodd hebrwng y Tywysog John i Iwerddon yn athro, yn gynghorydd ac yn ysgrifennydd. Gerallt hefyd, wrth gwrs, a ddewiswyd i gydymdeithio gyda'r Archesgob Baldwin ar y daith drwy Gymru. Roedd y brenin yn ddigon parod i ddefnyddio galluoedd Gerallt mewn rhai meysydd ond nid oedd yn barod i'r gŵr athrylithgar hwn gael gwireddu ei uchelgais. Tybed ai ofni roedd Harri y byddai Gerallt, pe bai'n cael ei ddyrchafu, yn ceisio brwydro dros annibyniaeth yr Eglwys yng Nghymru, ac yn ei wrthwynebu ef yn enw'r Eglwys megis y gwnaeth Becket rai blynyddoedd ynghynt yn Lloegr?

Ail gynnig Gerallt am Esgobaeth Tyddewi

Mae'n amlwg lle'r oedd calon Gerallt. Yn ystod teyrnasiad Rhisiart Lew cafodd gynnig esgobaeth Bangor, ac yn ystod teyrnasiad John, cafodd gynnig esgobaeth Llandaf. Ond gwrthod y ddau gynnig a wnaeth Gerallt. Tyddewi oedd ei nod. Yn y flwyddyn 1198 bu farw Peter de

Llun 41: Eglwys Gadeiriol Tyddewi.

Leia gan roi cyfle unwaith eto i Gerallt. Roedd etholwyr yr Esgobaeth yn bleidiol iddo megis cynt, ond roedd Hubert, Archesgob Caergaint, yn gwrthwynebu'n bendant. Roedd Rhisiart I yn Normandi ar y pryd ac felly penodwyd pedwar cynrychiolydd o esgobaeth Tyddewi i fynd i ymgynghori ag ef ynglŷn â'r sefyllfa. Cyn iddynt gyrraedd, fodd bynnag, bu farw Rhisiart a daeth ei frawd John i'r orsedd a chanddo ef yn awr roedd yr hawl i benodi. Cymeriad gwan oedd John ac ni fu'n anodd i Archesgob Caergaint ddylanwadu arno. Apeliodd Gerallt at y Pab a bu Tyddewi heb esgob am bum mlynedd. Teithiodd Gerallt i Rufain o leiaf ddwywaith i gyflwyno'i achos. Creodd argraff dda ar y Pab fel diwinydd, fel athronydd ac fel llenor ac wrth ddangos ei gyfansoddiadau dywedodd wrth Bennaeth yr Eglwys 'Arian a gyflwynodd eraill i ti, llyfrau a gyflwynaf i'. Trefnwyd comisiwn gan y Pab i ystyried y mater ond mae'n amlwg fod rhywun pwysig wedi dylanwadu ar yr aelodau. Ni chafodd uchelgais Gerallt ei gwireddu.

Siom

Dychwelodd Gerallt i Gymru yn ddyn trist, ond bu'n dristach fyth ar ôl cyrraedd wrth weld fod y clerigwyr wedi troi eu cefnau arno.

Roeddynt yn awr yn fwy teyrngar nag erioed i Archesgob Caergaint.
Cafodd ef, mae'n debyg, beth boddhad o feddwl fod y werin bobl o'i
blaid ac o wybod, pe byddent hwy wedi cael eu ffordd, mai ef a
fyddai eu dewis hwy yn Esgob Tyddewi. Ond nid oedd modd newid
y drefn bellach. Ac felly, mewn anobaith llwyr, ymddiswyddodd o fod
yn Archddiacon Aberhonddu hyd yn oed, ac ymneilltuodd i ymhél
yn gyfan gwbl â'i astudiaethau cynhwysfawr, di-rif.

Yn y flwyddyn 1223 bu farw Gerallt Gymro — gŵr o dras fonheddig
ac eto yn deall ac yn cydymdeimlo â'r werin, gŵr doeth ond â digon o
hiwmor, gŵr diwylliedig (ganddo ef y cawn ni ddarlun o genedl y
Cymry yn y Canol Oesoedd), a gŵr o weledigaeth (Eglwys annibynnol
a chanddi ei Harchesgob ei hun). Dyma'n sicr un o wŷr mawr y cyfnod.

YMARFERION

1. Pam roedd cymaint o frwydro yn y Dwyrain Canol yn y cyfnod
   hwn? Copïwch Fap 9.
2. Dychmygwch mai chwi yw Gerallt Gymro. Disgrifiwch, yn ei
   eiriau ef, y dyddiau dedwydd a dreuliodd yn ystod ei ieuenctid.
3. Copïwch Fap 10, gan lenwi'r bylchau.
4. Dewiswch dri lle yr ymwelodd Gerallt â hwy ar ei daith drwy
   Gymru a lluniwch dair golygfa ddramatig i ddangos beth a
   ddigwyddodd yn y lleoedd hyn.
5. Ar bapur arlunio, o faint gweddol, lluniwch fap o daith Gerallt
   drwy Ogledd Cymru. Oddi tano ysgrifennwch am ddigwyddiadau
   un wythnos yn unig, fel pe baech yn cadw dyddiadur, a
   thynnwch ambell lun o ddigwyddiadau arbennig ar y daith.
6. Ceisiwch lunio rhestr o nodweddion Cymry ein hoes ni, megis
   y gwnaeth Gerallt yn ei ddydd.
7. Ysgrifennwch nodiadau ar: (a) Rhisiart Lew; (b) Yr Archesgob
   Baldwin; (c) Owain Cyfeiliog.

PENNOD 6

OES LLYWELYN FAWR

A. Y SEFYLLFA YN LLOEGR

Teyrnasiad Rhisiart Lew, 1189-99

Bu farw Harri II yn y flwyddyn 1189, a daeth Rhisiart Lew yn olynydd iddo. Ei brif nod oedd arwain byddin o Brydain i Balestina bell. Nid oedd ganddo fawr o ddiddordeb ym materion gwleidyddol Lloegr nac ym mhroblemau Cymru. Felly cafodd y Cymry yn y cyfnod hwn gyfle i ymlacio a chael eu gwynt atynt wedi blynyddoedd o ormes y Saeson.

Cyfnod y Brenin John

Ond yna, pan fu farw Rhisiart I yn Ffrainc yn y flwyddyn 1199, ei frawd, John, a ddaeth i'r orsedd. Brenin gwan, diegwyddor oedd hwn. Mab i frawd hŷn nag ef, y Tywysog Arthur, oedd y gwir olynydd i'r orsedd, ond gofalodd John lofruddio hwnnw pan aeth y si ar led am farw'r Brenin Rhisiart. Trychineb, yn wir, fu ei deyrnasiad: colli bron y cwbl o diroedd brenhiniaeth Lloegr yn Ffrainc, gwrthdaro â'r barwniaid, a chweryla â'r Pab.

Roedd yr achos diwethaf yn un difrifol. Pan benododd y Pab ŵr cyfiawn a diffuant o'r enw Stephen Langton yn Archesgob Caergaint, gwrthwynebodd John a mynnu mai ganddo ef roedd yr hawl i benodi uwch-glerigwyr yn Lloegr. O ganlyniad, gosododd y Pab Brydain gyfan dan waharddiad — cau pob adeilad eglwysig, rhwystro pob bedydd gan offeiriaid Eglwys Rufain, gwahardd pob cymun a phob angladd ar dir sanctaidd. Amser ffiaidd, diflas a blin oedd hwn yn hanes y wlad.

Y Magna Carta

Aeth y Pab ymhellach ac ysgymuno Brenin Lloegr a galw, yn enw'r Eglwys, ar Philip, Brenin Ffrainc, i'w ddiorseddu. Nid oedd raid iddo wneud hyn gan fod cymaint o elyniaeth y tu mewn i'r wlad tuag at John, a'r barwniaid wedi penodi Stephen Langton yn arweinydd iddynt. Trefnodd ef y gwrthwynebiad yn ofalus a llunio dogfen, sef cyfamod y Magna Carta, a amlinellai hawliau'r barwniaid. Ychydig o gefnogaeth oedd gan y brenin bellach a bu raid iddo gytuno i gyfarfod â Stephen Langton a'r prif farwniaid ar lan afon Tafwys. Yno, cyflwynwyd y ddogfen iddo, gan ofyn iddo ei darllen ac yna ei llofnodi. Dyma'r prif gymalau: (a) roedd yr Eglwys i fod yn rhydd ac yn annibynnol; (b) rhaid oedd pennu'n union gyfraniadau neu drethi'r barwniaid, ac os oedd y Brenin am godi'r swm dyladwy, rhaid oedd ymgynghori; (c) nid oedd unrhyw ddinesydd breiniol i'w gadw yn y ddalfa heb brawf; (ch) roedd hawl gan y trefnwyr i'w rhyddid a'u breintiau yn ddiamod.

Marw'r Brenin John, 1216

Bu raid i'r Brenin John lofnodi'r ddogfen, ond nid oedd am funud yn bwriadu cadw at y cytundeb ac aeth ati ar unwaith i gyflogi milwyr tramor i hybu ei achos. Roedd perygl yn awr i'r barwniaid, ond eu hymateb hwy hefyd oedd galw am gymorth o'r Cyfandir a pherswadio Louis, Tywysog Ffrainc, a'i fyddin i ymladd ochr yn ochr â hwy. Ond yn sydyn, yn y flwyddyn 1216, bu John farw. Am ddwy flynedd arhosodd Louis yn Lloegr ond yn raddol collodd gefnogaeth. Wedi'r cwbl, cyn ei farw roedd John wedi plygu i drefn y Pab, ac yntau wedi ysgymuno Tywysog Ffrainc. Nid oedd dim, felly, y gallai ei wneud a bu raid iddo ddychwelyd i'w wlad enedigol.

Simon de Montfort

Yn y cyfamser, yn y flwyddyn 1216, daeth mab naw oed John, sef Harri III, i'r orsedd, ond ni chafodd ei gydnabod yn wir frenin gan y Pab hyd y flwyddyn 1227. Yn ystod cyfnod ieuenctid y brenin newydd ni bu cynnwrf mawr yn y wlad, er bod peth anesmwythyd o hyd. Ond wedi iddo ei sefydlu ei hun ar yr orsedd, ac yntau wedi priodi Eleanor o Brofens, dechreuodd wahodd uchelwyr o Ffrainc i Loegr a'u penodi i swyddi pwysig. Bu gwrthdystiad mawr yn erbyn hyn gan y barwniaid a'r clerigwyr a chododd gŵr o'r enw Simon de Montfort i fod yn arweinydd iddynt. O ganlyniad, bu rhyfel cartref am saith mlynedd ac ym mrwydr Lewes (1264) cipiwyd y brenin a'i fab, Edward, yn garcharorion. Yn ystod y flwyddyn wedyn llywodraethai Simon y wlad yn effeithiol, yn enw'r brenin. Ond un diwrnod llwyddodd Edward y Tywysog i ddianc; cododd fyddin gref a threchu Simon a'i ladd ym mrwydr Evesham, yn y flwyddyn 1265.

B.   TYWYSOG MAWR — LLYWELYN AP IORWERTH

Y Sefyllfa ar ôl 1170

Dyma'r cyfnod y daeth Llywelyn ap Iorwerth i rym yng Nghymru. Pan fu farw Owain Gwynedd yn y flwyddyn 1170, ei wir olynydd oedd Iorwerth Drwyndwn, ond yn ôl cyfraith Cymru ar y pryd ni châi etifeddu teyrnas ei dad am fod ganddo nam corfforol, sef trwyn cam.

Ganed mab iddo yn y flwyddyn 1173, ond erbyn hynny roedd ei bedwar brawd wedi rhannu ei diroedd rhyngddynt, ac roedd un ohonynt, Dafydd, yn uchelgeisiol iawn. Gwyddai hwn yn dda, fodd bynnag, mai gan Llywelyn, mab Iorwerth, yr oedd yr hawl i'r deyrnas gyfan, pan ddeuai i'w oed, ond roedd yn benderfynol o rwystro hyn rhag digwydd. Sylweddolodd Marged, mam Llywelyn, pa mor beryglus oedd y sefyllfa ac anfonodd ei mab ifanc i Bowys at ei theulu.

Blynyddoedd cynnar Llywelyn

Yno, ym mwynder Maldwyn, cafodd Llywelyn ei feithrin a'i fagu'n ofalus, a thyfodd yn llanc cydnerth a mentrus. Pan oedd Gerallt ar ei daith drwy Gymru, llanc pymtheg oed oedd Llywelyn a'i fryd ar fod yn Dywysog Gwynedd. Ymhen chwe blynedd roedd wedi casglu dilynwyr lu a'u harwain i orchfygu byddin ei ewythr Dafydd a chipio gorsedd Gwynedd. Ni fu gwŷr y dalaith yn hir cyn cymryd ato, chwaith, ac yn wir erbyn 1203, cydnabyddid ef nid yn unig yn Dywysog Gwynedd ond i raddau pell iawn yn llywodraethwr Gogledd Cymru.

Llun 42: Llywelyn Fawr yn ymgynghori â'i swyddogion.

Safle 'Tywysog Cymru'

Wedi cyrraedd y fath safle, gwyddai Llywelyn fod yn rhaid iddo fynd ymhellach eto. Dyletswydd pob arweinydd yn y wlad oedd cydnabod Tywysog Gwynedd yn arglwydd a thalu gwrogaeth iddo. Galwodd pob un ohonynt i gyfarfod ag ef a'r mwyafrif yn cydsynio. Ond gwrthod a wnâi Gwenwynwyn, Arglwydd Powys, a bu raid i Llywelyn arwain byddin i'w diriogaeth, ei meddiannu a'i alltudio ef. Digon cyndyn hefyd oedd meibion yr Arglwydd Rhys yn y De i gydnabod arglwyddiaeth y Tywysog Llywelyn, ond cyn bo hir sylweddolodd y rhain mai peth da i'r genedl fyddai cael un gwir arweinydd, ac o hynny ymlaen buont yn eiddgar o'i blaid ac yn gefnogol i'w achos. Ef oedd 'Tywysog Cymru' bellach.

Priodi'r Dywysoges Siwan

Ond prif elyn Llywelyn, megis pob arweinydd gwir Gymreig arall, oedd Brenin Lloegr, ac erbyn hyn, wrth gwrs, y Brenin John oedd ar yr orsedd. Roedd gan hwnnw ddigon o broblemau yn ei wlad ei hun bellach, a daeth i'r casgliad yn fuan iawn y byddai'n well iddo gael Llywelyn yn gyfaill yn hytrach nag yn elyn. Seliwyd bargen felly rhwng y ddau a threfnwyd priodas Llywelyn a Siwan, merch ifanc John, er mwyn sicrhau heddwch. Yn y ddrama *Siwan* gan Saunders Lewis dyma eiriau Llywelyn, yn ddiweddarach yn yr hanes, wrth ei wraig:

> Gwleidyddiaeth oedd ein priodas ni, arglwyddes,
> A rhyngom ni roedd bwlch o chwarter canrif.
> Wel, dyna'r arfer, mae'n sail i gynghrair
> A chytgord gwledydd, cyd-odde, cyd-adeiladu.

Bu John yn hael yn ei anrhegion priodas, ac yn eu plith anrhydeddodd ei fab-yng-nghyfraith ag Arglwyddiaeth Ellesmere ar y gororau. Nid oedd raid i'r Brenin ofni unrhyw ymosodiad gan y Cymry'n awr. Roedd Llywelyn o'r farn hefyd na fynnai ei dad-yng-nghyfraith geisio lleihau dim ar ei awdurdod ef yng ngwlad ei febyd. Ond sut y teimlai Siwan druan, tybed? Merch ifanc wedi ei mwytho yn rhialtwch a rhwysg llys Brenin Lloegr, ac yn awr yn gorfod bodloni, yn arglwyddes, mae'n wir, ar lysoedd syml, bychain, a diantur yn ôl ei safonau hi, yn Aber ger Bangor ac Aberffraw ar Ynys Môn.

Ymosodiad y Brenin John, 1211

Roedd gan Llywelyn un gelyn o hyd, sef Gwenwynwyn, a oedd wedi ei alltudio i Loegr. Credai Llywelyn, fodd bynnag, gan ei fod ef a John wedi dod i delerau mor foddhaol nad oedd ganddo ddim i'w ofni. Ond hyd yma, nid oedd wedi sylweddoli bod John yn gymeriad mor wan a di-asgwrn-cefn, ac er bod gan hwnnw ddigon o broblemau eisoes, penderfynodd yn sydyn yn y flwyddyn 1211, ymosod ar diroedd Llywelyn â chymorth Gwenwynwyn. Roedd John, erbyn hyn, yn ofni awdurdod ei fab-yng-nghyfraith, ac yn fuan iawn arweiniodd fyddin gref i Ogledd Cymru. Clywsai Llywelyn am y cynlluniau ymlaen llaw, a gwyddai nad oedd yn hollol barod i wrthsefyll ymosodiad o'r fath. Ond roedd yn ddigon cyfrwys i ofalu na fyddai'r ymgyrch yn llwyddiant. Trefnodd i'r stoc o wartheg a defaid gael ei symud o'r iseldir i fryniau Eryri, ac yna aeth ef a'i fintai yno hefyd gan gludo cynhaliaeth o bob math ymaith.

Pan gyrhaeddodd John y gwastatir roedd wrth ei fodd pan welodd fod y meysydd yn wag, heb wrthwynebiad o unrhyw fath, ac yntau a'i fyddin yn cael marchogaeth ymlaen yn braf. Ond cyn hir, dyma'r milwyr yn dechrau anesmwytho a chwyno o eisiau bwyd, a gwrthod treiddio ymhellach i'r wlad. Bu raid i John, felly, wrthgilio.

Ail ymosodiad John

Ond ymhen deufis, roedd y Brenin John wedi ei gythruddo'n llwyr, a chyda byddin fwy a chyflenwad sylweddol o'i fwyd a'i ddiod ei hun y tro hwn, ymdeithiodd unwaith eto tua Gogledd Cymru. Ni allai Llywelyn eu gwrthsefyll mewn brwydr — roedd yn berffaith sicr o hynny. Bu raid iddo adael llonydd iddynt y tro hwnnw i ysgubo popeth o'u blaenau — llosgi ffermydd a'u cnydau, cartrefi pobl gyffredin ac eglwysi. Llosgwyd Eglwys Gadeiriol Bangor hyd yn oed yn yr ymgyrch hon a chymryd yr Esgob yn garcharor. Bu raid talu pridwerth o ddau can hebog i'w ryddhau.

Cytundeb anodd

Bu raid i Llywelyn ddod i delerau â'i dad-yng-nghyfraith am gyfnod er mor ystyfnig y gallai John fod wrth drafod materion o'r fath. Ond beth am ei wraig? Efallai y llwyddai hi i berswadio'i thad i gael amodau heddwch mwy boddhaol. Yn wir, fe lwyddodd, yn ôl geiriau ei gŵr rai blynyddoedd yn ddiweddarach:

> Cofiaf y p'nawn y daethost oddi wrth dy dad
> O'th lysgenhadaeth gynta'; roedd fy mywyd i
> Mewn perig' y tro hwnnw. Pymtheg oed oeddit ti
> A Dafydd dy fab prin ddeufis. Daethost adre
> A'm heinioes i a thywysogaeth Dafydd
> Yn ddiogel dan dy wregys.

Siwan, Saunders Lewis

Er hynny, anodd oedd derbyn telerau'r Brenin John: Llywelyn yn gorfod cefnu ar diroedd dwyrain y Gogledd, talu gwrogaeth iddo, cyfrannu ugain mil o wartheg i dalu costau'r rhyfel, rhoi'n feichiau ddeg ar hugain o Gymry ifainc, iach, ac yn eu mysg, ei fab ei hun, ac addo peidio ag anufuddhau i Frenin Lloegr na gwrthryfela yn ei erbyn.

Llywelyn yn uno arglwyddi Cymru

Nid oedd Llywelyn yn ei rwysg a'i fonedd am dderbyn telerau fel hyn ar chwarae bach. Cyn pen y flwyddyn roedd wedi llwyddo i ennill cefnogaeth arglwyddi'r De a hyd yn oed ei arch-elyn, Gwenwynwyn. Casglodd Llywelyn yr holl arglwyddi ynghyd i drafod a chynadledda, a'i neges ef fel llywydd oedd y dylai'r Cymry uno yn un corff yn erbyn y Saeson:'Fe'n gwaredwn ein hunain trwy fwrw'r iau ymaith; na fyddwn bellach yn gaethion ond yn wrol, yn ddewr, gan ddyfalbarhau i ddifetha'r estroniaid busneslyd a'u hysbeilio hwy.' O ganlyniad i'r apêl hon, dinistriwyd cestyll y Brenin yng Ngheredigion a Phowys ac yntau Llywelyn yn meddiannu'r Berfeddwlad (i'r dwyrain o afon Conwy) unwaith eto. Gwylltiodd John yn lân, a thyngodd na fyddai'n bwyta nac yn yfed dim hyd nes y lleddid rhai o'r gwystlon.

Trafferthion John yn cynyddu

Y cam yr hoffai John fod wedi ei gymryd, wrth gwrs, oedd goresgyn Cymru unwaith eto ond roedd ganddo ormod o broblemau mewn meysydd eraill erbyn hyn. Roedd y Pab wedi ei ysgymuno a gosod y wlad dan waharddiad, y barwniaid yn ennill tir bob dydd yn ei erbyn, a'r werin bobl wedi hen alaru arno'n frenin. Ond nid oedd John am ymostwng; roedd yn rhy ystyfnig i hynny. Gwelai lygedyn o obaith iddo ef ei hun pe gallai ddod i delerau â'r Pab. O'r diwedd, felly, plygodd i Bennaeth yr Eglwys ac unwaith eto cynhaliwyd gwasanaethau a chlywyd clychau'n canu yn ein gwlad — 'clych eglwysi'r llethrau'n gwahodd tua'r llan'. Byddai'r werin, yn nhyb John, yn fodlon yn awr, ond parhau i gynyddu a wnâi nifer cefnogwyr y Barwniaid. Llugoer, hefyd, oedd ymateb Llywelyn i alwad John i'w helpu — ni chymerodd sylw, dim ond ysgubo ymaith i'r De a chipio cestyll Buellt, Aberhonddu a'r Fenni, ac ym 1215 cipiodd Aberteifi a Chaerfyrddin.

Y Magna Carta a Chymru

Roedd hi ar ben ar y Brenin John a bu raid iddo lofnodi'r Magna Carta. Torrodd Llywelyn yntau ei enw ar y ddogfen, gan fod rhai o'r cymalau yn ymdrin â Chymru. Swm a sylwedd y rhain oedd: (i) Y brenin i adfer i'r Cymry y tiroedd a gipiwyd gan y Saeson yn anghyfreithlon er teyrnasiad Harri II; (ii) Y Cymry i weithredu yn yr un modd; (iii) Y brenin i ryddhau Gruffydd ap Llywelyn a'r gwystlon a ddygodd ymaith o Gymru ar ei ymgyrch ddiweddaraf i'r wlad. Telerau digon boddhaol i'r Cymry! Efallai na fyddai John wedi cadw at ei air, ond bu farw yn y flwyddyn 1216, ac felly nid oes raid ymresymu na dadansoddi ymhellach.

Cynhadledd Aberdyfi, 1216

Yn yr un flwyddyn, a Llywelyn bellach â digon o hunan-hyder, galwodd ynghyd holl arglwyddi Cymru i gynhadledd yn Aberdyfi. Daeth arglwyddi'r De yno, ac ar y dechrau trafod y De a wnaeth Llywelyn a'i gyngor er mwyn ennill eu cefnogaeth. Aethpwyd ati i rannu tiroedd yr Arglwydd Rhys yn ofalus a theg ymysg ei ddisgynyddion ac yn y diwedd bodlonodd pob un ohonynt ar y drefn newydd. Ond prif amcan Llywelyn wrth alw'r gynhadledd oedd cael pawb i'w gydnabod yn benarglwydd y wlad a'i gefnogi i'r eithaf yn erbyn y Sais. Cytunodd yr arglwyddi ac addo peidio byth ag arwyddo cytundeb preifat â Brenin Lloegr. Ceisiodd Gwenwynwyn a gŵr o'r enw de Breos dorri'r cytundeb wedi hyn ond cawsant eu halltudio. Llywelyn oedd 'Tywysog Cymru', wedi'r cwbl.

C.   LLYWELYN A'I BERTHYNAS Â HARRI III

Cytundeb ar ddechrau teyrnasiad Harri III

Bachgen ifanc oedd Harri pan ddaeth i'r orsedd yn y flwyddyn 1216 a Llywelyn yn ei gefnogi. Yn wir, bu cyfathrach eithaf clòs rhwng y ddau yma ar adegau, y ddau'n cyfnewid anrhegion, hyd yn oed. Wrth gwrs, yn y cyfnod cynnar roedd gwŷr hŷn yn llywodraethu ar ran y llanc ifanc ond mae'n arwyddocaol i gytundeb gael ei drefnu rhwng y ddwy garfan yn y flwyddyn 1218, yng Nghaerwrangon. Yn ôl yr amodau roedd Llywelyn ac arglwyddi Cymru i dalu gwrogaeth i Harri ar y naill law, ond ar y llaw arall roedd Llywelyn i gadw ei afael ar y tiroedd a feddiannwyd ganddo hyd hynny, gan gynnwys de Powys a chestyll Aberteifi a Chaerfyrddin.

Llywelyn a'r Saeson ar ôl 1219

Yr un a fu'n llywodraethu'r wlad ar ran Harri am dair blynedd gyntaf ei deyrnasiad oedd yr uchelwr amlycaf yn Ne Cymru, sef Wiliam Marshall, Iarll Penfro, ac ef yn ddiamau oedd yn gyfrifol am gytundeb 1218 a'r amodau hael i Lywelyn. Ond bu farw Wiliam ymhen y flwyddyn a'i fab o'r un enw ag ef yn ei olynu'n Iarll Penfro, ond nid yn ddirprwy'r brenin. Gŵr o'r enw Hubert de Burgh a gafodd y swydd honno. Roedd ef ac Iarll newydd Penfro yn fwy amheus o Lywelyn na'r Wiliam Marshall cyntaf. Yn wir, yn ystod y cyfnod hwn bu aml ffrwgwd rhwng Llywelyn a gwŷr y brenin, Arglwyddi'r Mers a'r barwniaid o dro i dro. Ac yn ystod un o'r ysgarmesoedd cipiodd Llywelyn uchelwr ifanc Normanaidd pwysig o'r enw Wiliam de Breos ('Gwilym Brewys', yn ôl Saunders Lewis) yn garcharor.

Dienyddiad Wiliam de Breos, 1230

Yng nghanolfan Llywelyn yn Aber, ger Bangor, y carcharwyd Wiliam nes iddo dalu dwy fil o bunnau yn iawndal, a chytuno i'w ferch Isabella briodi Dafydd, mab Llywelyn, a hefyd addo peidio ag ymladd yn erbyn y Tywysog byth mwy. Ond pan oedd y cytundeb ar fin cael ei weithredu, dyma Llywelyn yn darganfod cynllwyn ar droed yn ei erbyn — cynllwyn Siwan, ei wraig ef ei hun, a Wiliam de Breos, a bod serch rhwng y ddau hefyd. Rhaid oedd cael gwared â'r dihiryn hwn, a phenderfynodd Llywelyn ei grogi ef a chaethiwo Siwan. A hithau'n awr yn ei chell ac Alis ei morwyn yn gweini arni dyma floedd o'r beili islaw, ac yn nrama Saunders Lewis, dyma Alis yn disgrifio'r hyn a wêl drwy ffenestr y gell:

'Y dorf sydd wedi ei weld o. Maen nhw 'rwan ar y lawnt.
Mae'r munudau ola' gerllaw.

Mae o'n ysgwyd llaw ag Ednyfed Fychan a'r Cyngor
O un i un fel arglwydd yn eu derbyn i'w fwrdd,
Mae ganddo air i bob un, maen nhw i gyd yn chwerthin . . .
'Rwan mae o ar ei liniau o flaen yr Esgob
A Chadwgan yn torri arwydd y groes dros ei ben.
Mae'r dorf yn fud, wedi ei syfrdanu
A'r Cyngor wedi delwi yn sefyll yn stond.
'Does neb yn symud ond Gwilym. Mae o'n profi'r ysgol;
'Rwan mae o'n teimlo'r rhaff, mae'n ei rhoi am ei wddw,
Mae'n moesymgrymu a ffarwel; mae'n dringo fel capten llong
I ben yr ysgol, ymsythu —

(Clywir yn glir floedd Gwilym) Siwan!

Yn y flwyddyn 1230 y digwyddodd hyn, yn ôl y sôn, ac erbyn hynny roedd Llywelyn yn hen gyfarwydd â chael ei gydnabod yn 'Dywysog Cymru'. Chwe blynedd yn ddiweddarach ymladdodd ei frwydr olaf a phrofi nad oedd ei hafal yn y wlad. Roedd Harri, Brenin Lloegr, erbyn hyn wedi hen flino ar frwydro yn ei erbyn a bellach cytunodd i Llywelyn gadw ei eiddo.

Llun 43: Dienyddiad Wiliam de Breos.

Marw Siwan, 1237

Roedd Llywelyn yn heneiddio erbyn hyn ac yn y flwyddyn 1237 bu farw Siwan. Er nad oedd y briodas yn y blynyddoedd olaf hyn wedi bod mor hapus â hynny, cofiai'r Tywysog am ei dymuniad:

> Pan fydda' inna' farw,
> Ei di â'm corff i drosodd mewn cwch a'i gladdu
> Yno, yn y fynwent newydd, a rhoi'r tir
> I frodyr Ffransis i godi tŷ a chapel?
>
> *Siwan*, Saunders Lewis

Yn Aber y bu farw Siwan, ac yn ôl ei dymuniad cludodd ei gweddw y corff yn ôl i draethau Môn ac i Lan-faes. Yno y claddwyd y dywysoges mewn arch garreg ac ar y caead fe naddwyd cerflun ohoni. Ac yn y fan honno yr adeiladodd Llywelyn briordy i'r Brodyr Ffransis er cof am ei wraig. Yn gymharol ddiweddar cafwyd hyd i'r arch ym Môn, yn cael ei defnyddio'n gafn bwyd anifeiliaid ar fferm ar yr ynys. Pan ddarganfuwyd yr arch, aed â hi ar unwaith i Fiwmares gyfagos a'i gosod yng nghyntedd yr eglwys yno. Mae'r ddelw i'w gweld o hyd a chawn ryw syniad, o edrych arni, sut un oedd Siwan o ran pryd a gwedd.

Llun 44:   Y Ddelw o Siwan ar gaead ei harch garreg (Eglwys Biwmares).

Cydnabod Dafydd yn olynydd Llywelyn, 1238

Wedi marw Siwan, ac yntau bellach wedi ei barlysu, prif broblem Llywelyn a'i boen fwyaf oedd pwy fyddai ei olynydd. Gruffydd, a aned cyn iddo briodi Siwan? Cymeriad digon anystywallt ac anwadal oedd hwn — un y bu'n rhaid iddo ei garcharu am chwe blynedd yn ystod y cyfnod o 1228 hyd at 1234, yn Negannwy, am ei droseddau. Mae'n wir i Llywelyn faddau iddo ar ôl hyn, a'i ddyrchafu i safle 'Arglwydd Llŷn' a rhoi rhan o Bowys iddo yn etifeddiaeth. Ond ni allai ymddiried ynddo. Dewis Llywelyn oedd Dafydd, y mab a aned i'w wraig, Siwan. Ac er sicrhau hyn y galwodd holl benaethiaid y wlad i Ystrad-fflur yn ystod y cynhaeaf ym 1238, i dyngu llw o ffyddlondeb i'w fab, Dafydd.

Gelert, ci Llywelyn

Megis yn hanes pob arwr o Gymro, tyfodd chwedl ddiddorol am Llywelyn Fawr a'i gysylltiad â Beddgelert, pentref yn Eryri. Yn ôl y stori, ac yntau ar fin mynd i hela, gadawodd ei faban bach yn ei grud, a Gelert, ei gi, i'w warchod. Pan ddychwelodd, roedd y crud wedi ei ddymchwel a gwaed wedi ei daenu ar hyd y lle, a Gelert ei hun yn gorffwys yn ddigon diddig yn yr un lle ag arfer. Ar amrantiad, yn ôl y chwedl, lladdodd Llywelyn ei anifail anwes hoffus yn ei wylltineb, ond wedi chwilio'r ystafell daeth o hyd i gorff blaidd. Hwn oedd yn gyfrifol am y llanastr, nid Gelert — ef oedd wedi achub ei faban. Wedi deall y sefyllfa, wylodd Llywelyn yn dost. Ac ym mhentref bach Beddgelert mae bedd a chofgolofn i'r ci ffyddlon hwn.

Marw Llywelyn Fawr, 1240

Yn ei ddyddiau olaf, ymneilltuodd Llywelyn i abaty'r Sistersiaid ar lannau afon Conwy. Yno y treuliodd weddill ei fywyd mewn tawelwch ymhell o sŵn y byd a'i ddwndwr. Yn y lle cysegredig hwn y bu farw yn y flwyddyn 1240, wedi ei wisgo yng ngwisg Urdd y Sistersiaid. Cafodd angladd urddasol ac yn ddiweddarach symudwyd ei arch i Eglwys Gwydir, Llanrwst, lle gellir ei gweld hyd heddiw.

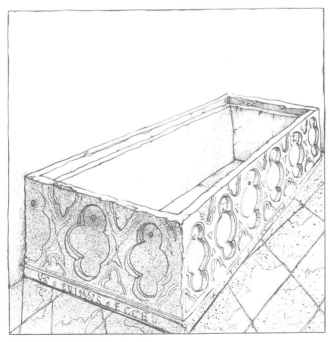

Llun 45: Arch garreg Llywelyn Fawr.

Cyfraniad Llywelyn i'r Genedl

Roedd Llywelyn yn llywodraethwr cadarn a doeth. Fel milwr, anaml y câi'r Saeson y gorau arno. Llwyddodd hefyd, yn ei ddoethineb, i uno penaethiaid Cymru ac i ennyn parch Brenin Lloegr ac Arglwyddi'r Mers tuag at hawliau'r Cymry fel cenedl, a'u cael i'w gydnabod ef yn 'dywysog' y genedl honno. Cymysgfa o wŷr lleyg ac o wŷr eglwysig oedd ei swyddogion a'i gynghorwyr. Un o'r gwŷr lleyg oedd gŵr o'r enw Ednyfed Fychan o Fôn y bu ei deulu a'i ddisgynyddion yn amlwg iawn yn hanes y ddwy wlad am flynyddoedd lawer — weithiau'n deyrngar i dywysog o Gymro, dro arall o blaid Brenin Lloegr gan ei gynorthwyo ef. Gwobr swyddogion o'r fath oedd derbyn tir a breintiau arbennig yn eu cymdogaeth yn rhoddion, ac wedi etifeddu'r rhain byddent yn manteisio ar y cyfle i wella amaethyddiaeth yn yr ardal a'i datblygu. Ond roedd Llywelyn Fawr hefyd yn hoff iawn o wŷr eglwysig o Gymry ac mae'n arwyddocaol, gan eu bod hwy wedi bod mor ffyddlon iddo ef, ei fod yntau wedi sicrhau, yn ystod ei deyrnasiad, mai Cymry yn unig a benodwyd yn esgobion Bangor a Thyddewi.

Roedd Llywelyn hefyd yn ŵr diwylliedig. Yn ei lys roedd croeso i fardd a llenor a'r rhai mwyaf adnabyddus yn ystod ei deyrnasiad oedd Prydydd y Moch a Dafydd Benfras.

Milwr, arweinydd â gweledigaeth ganddo, gwladweinydd doeth, crefyddwr di-sigl, noddwr hael mynachlogydd a phriordai, a chyfaill mynwesol beirdd a llenorion.

CH. MEIBION AC WYRION LLYWELYN

Dafydd yn gorfod ildio

Yn unol â dymuniad ei dad, Dafydd a orseddwyd yn Dywysog Gwynedd yn y flwyddyn 1240. Mab i Siwan oedd hwn a thybiai'r Saeson nad oedd nac awdurdod na dylanwad ei dad ganddo. Felly, roedd yn rhaid manteisio ar y sefyllfa a gorchymyn iddo ymddangos o flaen Harri III a thalu gwrogaeth iddo. Ni fynnai'r Tywysog Dafydd hyn ac felly roedd Harri'n barod i ddial a goresgyn Gogledd Cymru. Roedd Dafydd yn barod, hefyd, ar amrantiad i gipio castell Degannwy. Ond rhywsut roedd Brenin Lloegr wedi carlamu ymlaen ac erbyn hyn yn prysur orymdeithio ar hyd arfordir y Gogledd. Bu elfennau Natur o blaid y Cymry yn y blynyddoedd a fu, ond nid y tro hwn — dim ond sychder mawr, corsydd wedi caledu, llynnoedd yn awr yn byllau,

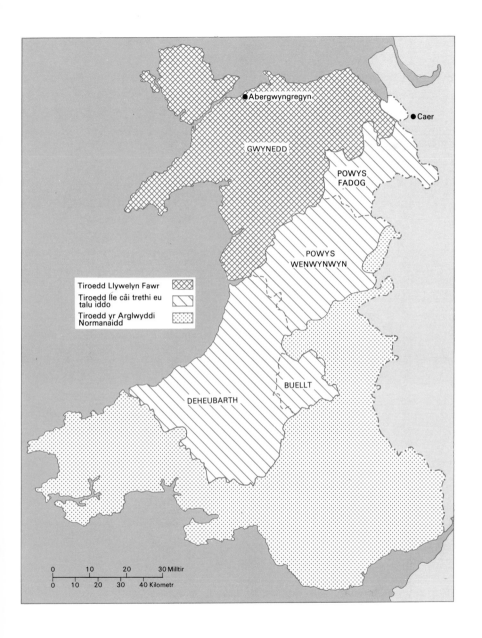

Map 11:   Cymru yn y flwyddyn 1240.

afonydd megis ffrydiau, a'r Saeson yn carlamu ymlaen. Bu raid i
Dafydd ildio a chytuno i dderbyn amodau pur annerbyniol — talu costau
rhyfel, colli llawer o'r tiroedd a feddiannodd ei dad, a hyd yn oed
trosglwyddo ei frawd Gruffydd a'i fab Owain yn wystlon.

109

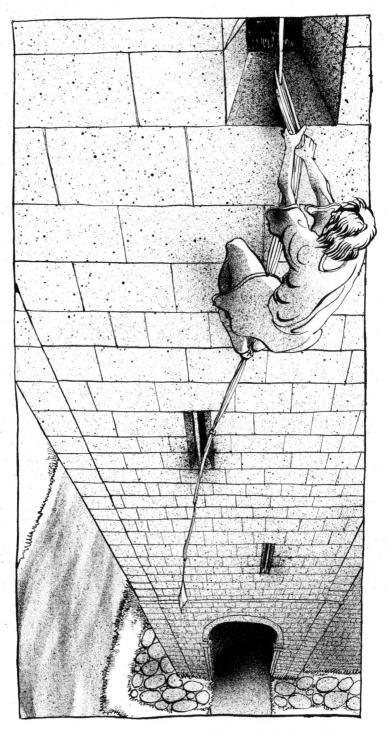

Llun 46: Gruffydd yn ceisio dianc o Dŵr Llundain.

Gruffydd yn Nhŵr Llundain

Yn yr oes honno, câi carcharorion o dras eu trin yn anrhydeddus gan eu gelynion. Pan garcharwyd Gruffydd yn Nhŵr Llundain cafodd lenni ar y ffenestri, dillad gwely atyniadol, llieiniau bwrdd hardd a bwyd da. Roedd yn ddigon cysurus, hyd yn oed yn y fan hon, ond ysai, ar yr un pryd, am ryddid. Ac un noson, penderfynodd ddianc drwy wneud rhaff o'r defnyddiau a welai o'i gwmpas, yn llenni, yn llieiniau ac yn ddillad gwely, a'i ollwng ei hun i lawr o'r tŵr a charlamu wedyn i ryddid. Ond ar ôl ei gyfnod hir o segurdod nid oedd yn sylweddoli pa mor drwm ydoedd, a phan geisiodd ddianc torrodd y rhaff a chwympodd i'w dranc i'r ddaear islaw. Cyrchwyd ei gorff o brifddinas Lloegr gan frodyr o Ystrad-fflur a chafodd ei gladdu'n urddasol ganddynt wrth ochr ei dad yn Abaty Aberconwy.

Dafydd yn ennill tir yng Nghymru

Galarai llawer Cymro wedi marw Gruffydd, ac er nad oedd ef a'i frawd wedi bod ar delerau da iawn â'i gilydd yn ystod y blynyddoedd a fu, yn rhyfedd iawn ymgyrchodd ei ddilynwyr, wedi'r digwyddiad erchyll, o dan faner Dafydd. Yn wir, yn fuan iawn llwyddodd Dafydd i ailgynnau fflam cenedligrwydd yn ei gydwladwyr a'u harwain i adennill tir a gollodd wedi Cytundeb 1241. Ar y pryd, roedd Harri III yn ceisio datrys problemau dyrys ar ororau'r Alban ac yn ddifater ynglŷn â'r hyn a ddigwyddai yng Nghymru. Ond gwnaeth un peth a allai, yn ei dyb ef, achosi peth anhwylustod i Dafydd, sef rhyddhau'r Owain hwnnw a garcharodd yr un pryd â'i dad, Gruffydd — Owain Goch. Gwyddai fod Owain yn ŵr uchelgeisiol ac na fu ef, mwy na'i dad, yn fodlon i Dafydd gael cymaint o awdurdod. Tybed na allai hwn, tra oedd ef, Harri, yn ceisio dirwyn yr anghydfod yn y Gogledd i ben, dorri tipyn ar grib llwyddiant Tywysog Gwynedd drwy arwain ysgarmes yn ei erbyn?

Harri III yn ymosod eto

Ond cynyddu'n feunyddiol a wnâi'r gefnogaeth i Dafydd ac erbyn y flwyddyn 1245 roedd Harri III wedi sylweddoli bod yn rhaid, o'r diwedd, weithredu. Unwaith eto, arweiniodd ei fyddin i Ogledd Cymru a gwersylla yn Negannwy. Ar yr un pryd, daliodd ar y cyfle i geisio ailadeiladu'r castell a oedd yno eisoes. Ond a dweud y gwir, amser pur ddiflas a gafodd milwyr Harri III yn Negannwy — mewn cryn oerni, gan orfod cysgu mewn pebyll lliain, a byw mewn ofn rhag i'r Cymry ymosod yn sydyn arnynt yn nyfnder nos, a buont bron â llewygu gan mor brin oedd eu dogn o fwyd a diod.

Colled y Saeson ar lan afon Conwy

Un diwrnod, i arbed y sefyllfa, ceisiodd llong o Iwerddon lanio yn Negannwy, a thrigain o gasgenni gwin ar ei bwrdd, ond gan iddi gael ei llywio'n anfedrus, cafodd ei dal mewn traethell ar lan orllewinol afon Conwy. Roedd y Cymry yno ar amrantiad, a dyma ddwyn y casgenni ar unwaith i'r bryniau gerllaw. Ceisiodd llawer o'r Saeson rwyfo ar draws yr afon a'u hymlid, ond roeddynt yn rhy hwyr — nid oedd ganddynt obaith eu dal na chael eu gwin yn ôl. Aeth y Saeson o'u cof yn lân ac ar eu ffordd yn ôl llosgasant gartrefi ac ysbeilio eglwys sanctaidd y Sistersiaid gan ddwyn trysorau gwerthfawr o aur ac arian ohoni! Pan glywodd y Cymry am hyn, roedd yn rhaid dial a rhuthro ar ôl y Saeson, a chan fod ysbail y rhain mor drwm, buan iawn y'u goddiweddwyd a chafodd amryw ohonynt eu lladd. Llwyddodd y lleill i gyrraedd y gwersyll â rhai trysorau, ond heb yr un gasgen win yn eu meddiant.

Marw Dafydd, 1246

Aeth y gwaith o ailgodi castell Degannwy ymlaen ac fe'i cwblhawyd. Dyna'r cyfan y gallai'r Saeson ei wneud bellach, ac fel y deuai'r gaeaf credai Brenin Lloegr nad oedd ganddo fawr o obaith trechu'r Cymry a hwythau'n llechu yn y mynyddoedd. Bu raid iddo gilio'n ôl i'w wlad ei hun. Ond cyn diwedd y gaeaf hwnnw bu farw Dafydd, a chan nad oedd ganddo fab yn olynydd iddo rhannwyd ei deyrnas rhwng Owain a Llywelyn, meibion ei frawd, Gruffydd.

Cytundeb Woodstock, 1247

Roedd y ddau frawd yma mor danbaid ac awyddus â'i gilydd i ennill awdurdod yn y wlad. Roedd perygl y byddai'r ddau yn ymladd â'i gilydd ond llwyddodd gwŷr doeth o Gymry i rwystro ymladdfa o'r fath, a chael y ddau i rannu'r etifeddiaeth. Cytunodd y ddau ar hyn, ond er mwyn sicrhau heddwch yng Nghymru am gyfnod, o leiaf, rhaid oedd dod i ryw ddealltwriaeth â'r Saeson. Gwnaed Cytundeb Woodstock, felly, yn y flwyddyn 1247. Yn ôl amodau'r cytundeb nid oedd Harri III am ollwng ei afael ar y tiroedd a berthynai iddo eisoes: Is Conwy, Buellt, Trefaldwyn, rhannau o Geredigion (Llanbadarn ac Aberteifi) a Chaerfyrddin. Beth am dywysogion ac arglwyddi Cymru yng Ngwynedd, Powys Fadog, Powys Wenwynwyn a Deheubarth? Yr oeddynt hwy oll bellach i dalu gwrogaeth i Frenin Lloegr. Er mor arw'r telerau, rhoddai hyn ysbaid i'r Cymry i atgyfnerthu.

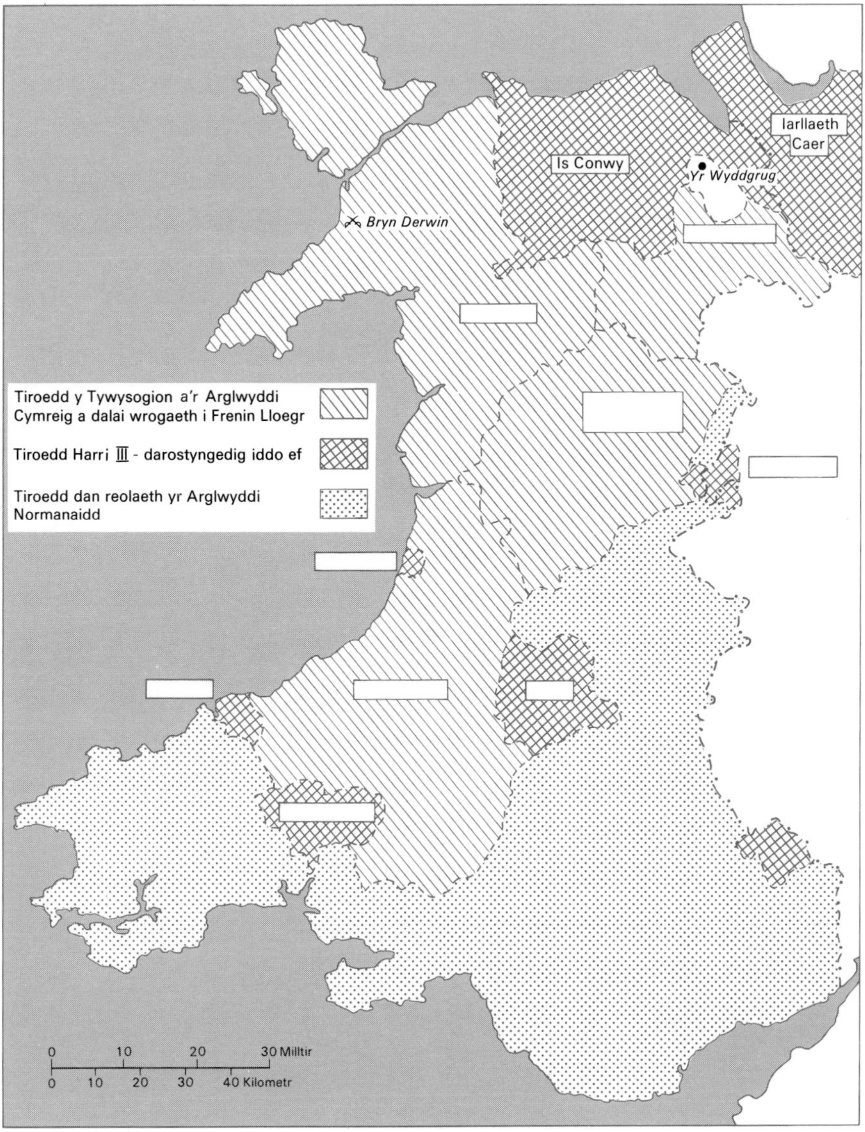
Iarllaeth Caer
Is Conwy
Yr Wyddgrug
Bryn Derwin
Tiroedd y Tywysogion a'r Arglwyddi Cymreig a dalai wrogaeth i Frenin Lloegr
Tiroedd Harri III - darostyngedig iddo ef
Tiroedd dan reolaeth yr Arglwyddi Normanaidd
0 10 20 30 Milltir
0 10 20 30 40 Kilometr

Map 12: Cytundeb Woodstock, 1247.

Brwydr Bryn Derwin, 1255

Ar yr wyneb, roedd heddwch yn teyrnasu yng Nghymru. Ond bu cynnwrf yn fuan iawn. Roedd gan Gruffydd ddau fab iau, sef Dafydd a Rhodri, a mynnai Dafydd yn enwedig ei fod wedi cael ei ddiystyru yn ewyllys ei dad. Er mwyn cael y maen i'r mur, felly, cynllwyniodd gyda'i frawd, Owain, i gasglu byddin i ymosod ar eu brawd Llywelyn a'i ddilynwyr. Cyfarfu'r ddwy fintai â'i gilydd ym Mryn Derwin, ger Clynnog, yng Ngwynedd, a bu cryn frwydr a chyflafan. Llywelyn a orfu a bu raid i Dafydd a'i filwyr ffoi'n ddi-oed i'r bryniau gerllaw, ac arweiniwyd Owain i garchar yng nghastell Dolbadarn.

YMARFERION

1. Pam, yn eich tyb chi, roedd y Brenin John yn llywodraethwr aneffeithiol?

2. Disgrifiwch y berthynas a fu rhwng Llywelyn Fawr a'r Brenin John.

3. Yn eich geiriau eich hun, ysgrifennwch yr hanes am Wiliam de Breos (Gwilym Brewys).

4. Dysgwch rai o'r dyfyniadau o'r ddrama *Siwan* gan Saunders Lewis.

5. Ceisiwch ddod o hyd i ragor o fanylion am chwedl Gelert, ci Llywelyn, ac ailadroddwch y stori, gan gynnwys y manylion hyn ynddi.

6. Lluniwch siart amser o deyrnasiad Llywelyn gan nodi'r prif ddigwyddiadau yn ei hanes, yn ôl trefn amser. Gellwch gynnwys ambell lun.

7. Copïwch Fap 11, sy'n dangos pa mor fawr oedd dylanwad Llywelyn Fawr yng Nghymru ym 1240.

8. Rhestrwch brif nodweddion Llywelyn Fawr fel 'Tywysog Cymru'.

9. Beth a ddigwyddodd i Gruffydd ap Llywelyn? Tynnwch lun o'r amgylchiad.

10. Amlinellwch hanes Dafydd ap Llywelyn yn Dywysog. Copïwch Fap 12 gan lenwi'r bylchau.

PENNOD 7

Y FRWYDR AM ANNIBYNIAETH

A. CYFNOD CYNNAR LLYWELYN AP GRUFFYDD YN DYWYSOG

Ei bolisi ar y dechrau

Wedi buddugoliaeth Llywelyn ym Mryn Derwin, penderfynodd mai ef yn unig a ddylai fod yn Dywysog yng Ngogledd Cymru ac aeth ati i feddiannu tiroedd ei berthnasau a'i ddyrchafu ei hun yn unben. Roedd ganddo weledigaeth a chyn pen dim roedd wedi ffurfio byddin gref o wŷr profiadol. Am ugain mlynedd wedyn bu wrthi'n brysur yn cipio tiroedd lawer. Yn y cyfnod hwn hefyd bu'n ddigon doeth i sefydlu cronfa a fyddai'n ei alluogi i wynebu unrhyw sefyllfa anodd yn y dyfodol. Dyna pam y gorfu i'w ddeiliaid ym mhob man dalu eu trethi'n llawn ac yn brydlon iddo. Mae'n amlwg ei fod yn dilyn camre ei daid ac eisoes yn haeddu ei gydnabod yn wir Dywysog.

Ei lwyddiant

Ar ôl Brwydr Bryn Derwin ac wedi iddo'i sefydlu'i hun fel Tywysog, aeth Llywelyn gyda'i fyddin i ennill yn ôl lawer o'r tiroedd a gollwyd wedi marw Llywelyn Fawr. Cafodd rwydd hynt i wneud hyn gan fod Brenin Lloegr â'i drafferthion ei hun. Llwyddodd i adfeddiannu'r Berfeddwlad o fewn blwyddyn. Aeth ymlaen wedyn i feddiannu Ceredigion a thiroedd y brenin yn Llanbadarn. Yna, teithiodd i ddwyrain Cymru a choncro Buellt a meddiannu llawer o diroedd cyn-arglwyddi Normanaidd yn y De. Cafodd ei gydnabod yn uwch-arglwydd yn Nyffryn Tywi ac, yn ddiweddarach, yng ngogledd Powys. A phan wrthododd Gruffydd ap Gwenwynwyn dalu gwrogaeth iddo, meddiannodd Llywelyn, hefyd, dde Powys. Llwyddodd Llywelyn i wneud hyn i gyd mewn tair blynedd.

Llywelyn yn cipio Aberhonddu, 1262

Yn ystod pedair blynedd gyntaf y Rhyfel Cartref yn Lloegr bu Llywelyn yn ddoeth, heb ddangos ei ochr o gwbl, ac wrth gwrs roedd ar delerau da â Harri. Er hynny, yn y flwyddyn 1262, ni allai ymatal rhag y demtasiwn i ymosod ar y Gororau a chipio Aberhonddu, gan wybod yn iawn na allai Brenin Lloegr ei rwystro na dial arno ar y pryd. Mae'n amlwg i Llywelyn fod o blaid Simon de Montfort ar hyd yr adeg er na frwydrodd ar ei ran, oherwydd yn y flwyddyn 1265, cyn i Simon gael ei

Llun 47: Llywelyn ap Gruffydd (Cerflun yn Neuadd y Ddinas, Caerdydd).

ladd, daeth y ddau i gytundeb mewn lle o'r enw Pipton, a threfnwyd i Llywelyn gael priodi Eleanor, merch Simon.

Atal ymosodiad y Saeson

Wedi i Simon gael ei ladd, a'r Brenin Harri unwaith eto yn ddiogel ar ei orsedd, roedd yn rhaid i Llywelyn fod yn wyliadwrus. Credai y byddai ymosodiad arno'n ddiamau, a hynny o'r dwyrain. Ond nid oedd ar Llywelyn ofn Harri III, a chynlluniodd yn ofalus. Trefnodd i'r henoed, y gwragedd a'r plant ymneilltuo i ddiogelwch y bryniau, a gofalodd fod amaethwyr yn parhau â'u gorchwylion beunyddiol, fel aredig y tir, ond dywedodd wrthynt hefyd am ddinistrio ambell bont, a gosod magl ar ambell un arall. Pan gyrhaeddodd y fyddin Seisnig, nid oedd arwydd o filwyr Cymreig yn unman, ond yn rhyfedd iawn, pe crwydrai unrhyw Sais o'i wersyll yn Negannwy, digon prin y clywid sôn amdano wedyn.

Cytundeb Trefaldwyn, 1267

Bellach, ni allai Harri III wneud dim ond dychwelyd i'w wlad ei hun a dod i delerau â Llywelyn yng Nghytundeb Trefaldwyn (1267).

116

Roedd Llywelyn i gael priodi Eleanor de Montfort ac i gael ei
gydnabod yn Dywysog Cymru, er bod rhaid iddo dalu gwrogaeth i'r
Brenin Harri. Hefyd, câi gadw'r tiroedd a enillodd ar y Gororau.
Telerau ffafriol oedd y rhain i Llywelyn.

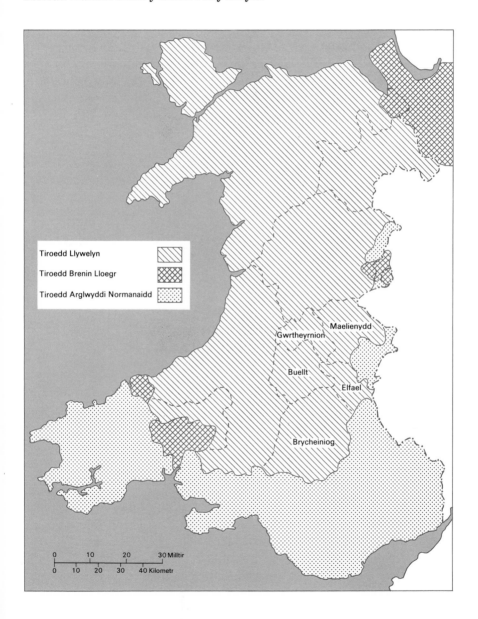

Map 13:   Cytundeb Trefaldwyn, 1267.

B.   LLYWELYN AC EDWARD I

Yn y flwyddyn 1272 yr etifeddodd Edward orsedd Lloegr wedi marw ei dad. Roedd yn brwydro ym Mhalestina bell pan glywodd y newydd am Harri, ei dad, ond ni ddychwelodd i Brydain nes i ddwy flynedd fynd heibio. Ond pan ddaeth, doedd wiw i neb yn Lloegr ei wrthwynebu — gŵr penderfynol oedd hwn â'i fryd ar lywodraethu'n unben. Roedd ganddo uchelgais hefyd — nid cael gwared ar ei elynion yn ei wlad ei hun yn unig ond uno'r wlad honno â Chymru a'r Alban yn ogystal. Cyn iddo ddychwelyd i'r wlad, roedd Llywelyn wedi synhwyro ei fwriad, ac felly achubodd y blaen arno gan godi castell Dolforwyn ger Trefaldwyn yn amddiffynfa. Nid oedd hyn wrth fodd Arglwydd Powys, Gruffydd ap Gwenwynwyn, o gwbl, ac o ganlyniad cynllwyniodd gyda Dafydd i lofruddio Llywelyn. Ond pan glywodd Llywelyn am eu bwriad ymosododd arnynt, a bu raid i'r ddau ddianc i Loegr am loches.

Dial Edward ar Llywelyn

Dyma Edward yn dychwelyd i Brydain ac yn gorchymyn Llywelyn i dalu gwrogaeth iddo. Gwrthod a wnaeth y Tywysog a hynny am reswm da gan fod dau o'i brif elynion yn llochesu yng ngwlad y Sais. Ond nid oedd Edward am dderbyn hyn fel rheswm a phenderfynodd ddial arno, pan ddôi'r cyfle. Daeth y cyfle iddo'n gynt na'r disgwyl. Roedd Eleanor, dyweddi Llywelyn, ar ei ffordd i briodi'r tywysog dan ofal ei brawd, ond cipiwyd y ddau ar lannau Cernyw a'u dwyn i Fryste, a'u trosglwyddo i ddwylo gwŷr y brenin. Cafodd Eleanor groeso yn llys y Brenin Edward ond roedd yn benderfynol o'i chadw'n gaeth, am y tro o leiaf. Carcharwyd ei brawd gan y Saeson yn ddi-oed, ond wedi cyfnod byr cafodd ei ryddhau a dychwelodd i Ffrainc.

Llywelyn yn colli ei dir

Cynddeiriogwyd Llywelyn gan y weithred hon, ac roedd am ddial. Ond erbyn hyn roedd y gefnogaeth iddo ar drai ac Arglwyddi'r Mers ac arglwyddi gwamal Cymru yn cefnu arno. Deiliaid Gwynedd yn unig oedd yn hollol ffyddlon a theyrngar iddo bellach. Nid oedd hyn yn fawr o galondid i Llywelyn gan y gwyddai am gynlluniau Edward. A daeth hwnnw'n fuan iawn i Ogledd Cymru gan ymosod ar dir ac ar fôr a cheisio llwgu byddin Llywelyn. Ymsefydlodd yn y Fflint, Rhuddlan a Degannwy gyda'i filwyr ac anfon ei wŷr arfog â'r llynges i draethau Môn ac anrheithio'r ynys.

Y Berfeddwlad
Tiroedd Tywysogion ac Arglwyddi Cymreig
Tiroedd Brenin Lloegr
Tiroedd Arglwyddi Normanaidd
0 10 20 30 Milltir
0 10 20 30 40 Kilometr

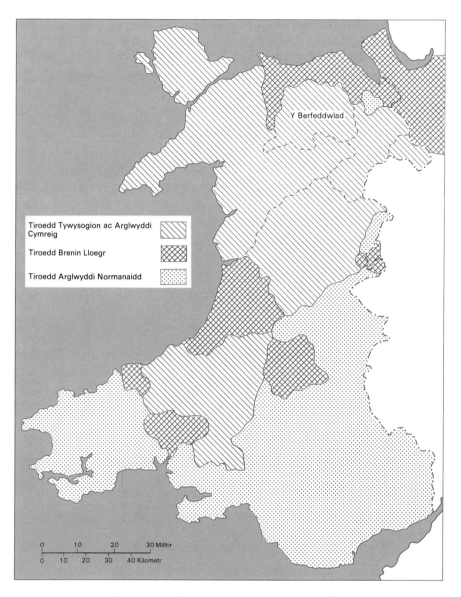

Map 14: Cytundeb Aberconwy, 1277.

Cytundeb Aberconwy, 1277

Digalonnodd Llywelyn ar ôl hyn a bu raid ildio i delerau Cytundeb Aberconwy: (i) Gwynedd yn unig, bellach, a fyddai'n eiddo i Llywelyn; (ii) Câi gadw'r teitl 'Tywysog Cymru', serch hynny; (iii) Pump yn unig o fân-arglwyddi Cymru, wedi hyn, a gâi dalu gwrogaeth

iddo, gan fod y lleill i'w thalu i Edward I; (iv) Roedd Owain, ei frawd, i gael ei ryddhau, Dafydd, ei frawd arall, i gael Rhufoniog a Dyffryn Clwyd ac arch-elyn Llywelyn, Gwenwynwyn, i gael de Powys yn ôl; (v) Yr unig gysur oedd fod Llywelyn yn cael priodi Eleanor de Montfort, wedi iddi gael ei charcharu am gyfnod. Swm a sylwedd hyn i gyd oedd fod y Gogledd-orllewin yn nwylo Llywelyn a bod Edward, trwy feddiannu ardaloedd megis Buellt a gogledd Ceredigion yn neheudir Cymru, yn cryfhau ei afael ar y wlad.

Priodas Llywelyn ac Eleanor de Montfort

Am bum mlynedd, yn yr ardaloedd lle'r oedd y Saeson mewn awdurdod ar ôl y cytundeb, bu cryn orthrwm ar y Cymry. Ar y dechrau, fodd bynnag, ymddangosai Llywelyn fel pe bai'n fodlon ar y drefn, a chan ei fod yn ymddwyn fel hyn cytunodd Edward o'r diwedd iddo briodi Eleanor de Montfort. Ac yn wir, bu gwledd i ddathlu'r amgylchiad yng Nghaerwrangon ym 1278, ac Edward I yn bresennol yn y seremoni. Ond yn fuan iawn, sylweddolodd Edward mor anniddig oedd llawer o'r Cymry o dan orthrwm ei swyddogion ac i'w baratoi ei hun ar gyfer rhyw fath o wrthryfel, penderfynodd gryfhau ei amddiffynfeydd yn y Fflint, Rhuddlan, Llanfair-ym-Muallt ac Aberystwyth.

Y Cymry'n gwrthryfela

Roedd y Cymry yn hen barod i wrthryfela erbyn 1282, a Dafydd, a oedd bellach wedi ei gymodi â'i frawd, Llywelyn, oedd fwyaf awyddus i'w harwain i'r gad, heb yn wybod i'w Dywysog. Ymosododd ar gastell Penarlâg a'i feddiannu ar unwaith ac roedd hyn fel pe bai'n alwad ar Gymry o bob rhan o'r wlad i wrthdystio yn erbyn y Saeson haerllug. Pan glywodd Llywelyn am y terfysg hwn, nid oedd ef am sefyll o'r neilltu bellach a gadael i Dafydd ennill anrhydedd a chlod y genedl. Ef, wedi'r cwbl, oedd Tywysog Cymru.

Marw Eleanor

Ond nid dyma'r unig reswm pam y bu i Llywelyn ailafael yn yr awenau a phenderfynu ymladd unwaith eto. Wedi'r cwbl, roedd atgasedd yn ei galon tuag at y Saeson ac yn enwedig at Edward I. Ef a fu'n gyfrifol am ohirio'i briodas ag Eleanor a'i amddifadu o'i chwmni am gyfnod. Ac yn awr, a hithau yn ei bedd, ar ôl priodas fer ond hapus, nid rhyfedd iddo wylo dagrau hallt o gynddaredd a phenderfynu dial.

Cymaint mwy, efallai, fyddai ei ffyrnigrwydd pe gwyddai beth a fyddai'n digwydd i'w ferch fach, Gwenllian, wedi ei farw. Wedi

brwydr olaf Llywelyn, cymerwyd y plentyn i gaethiwed yn Lloegr a
phan ddaeth i'w hoed trosglwyddwyd hi, yn ôl gorchymyn y brenin, i
leiandy am weddill ei hoes, yn hollol yn erbyn ei hewyllys.

Edward I yn ymosod ar y Gogledd

Erbyn 1282, roedd Llywelyn yn awyddus i arwain byddin o Gymry
i amddiffyn eu gwlad rhag gormeswyr. A daeth y gormeswyr hyn yn fuan
iawn, â'u bryd ar goncro Gwynedd i ddechrau, ac yna'r holl wlad. Cynllun
Edward I oedd gorymdeithio hyd at afon Conwy a goresgyn Ynys Môn yr
un pryd gan ffurfio pont o longau i'r tir mawr oddi yno, fel y gallai
milwyr, wrth ei chroesi, ymosod yn llu ar wŷr Llywelyn yn Eryri.
Llwyddodd y cynllun i ddechrau, ond methodd yn ddiweddarach gan
i'r Monwysion ddod i wybod am y cynllun ac ymosod ar y Saeson gan
ladd un ar bymtheg ohonynt.

Â'r Cymry'n llwyddo yng Ngheredigion a Dyffryn Tywi, teimlai
Llywelyn yn bur hyderus, ond rhagwelai rywsut y byddai Edward yn
ymosod eto yn y Gogledd. Felly, er mwyn denu ei sylw i gyfeiriad
arall, carlamodd Llywelyn a'i fintai i gyffiniau Buellt. Yno,
gobeithiai gipio'r castell ond er i lawer o'r ardalwyr ei gefnogi,
darganfu mai tasg go anodd fyddai hon gan fod cymaint o filwyr
profiadol yn y gwarchodlu.

Marw Llywelyn, 1282

Hwnt ac yma, roedd Saeson eraill ar grwydr yn yr ardal i'r dwyrain,
a phan welsant haid o Gymry'n gwarchod pont dros afon Irfon
ciliasant yn llechwraidd a dod o hyd i fan manteisiol arall i groesi'r
afon. Yn sydyn ymosodasant ar y Cymry o'r tu cefn iddynt.
Sylweddolodd Llywelyn ar unwaith fod cryn berygl a gadawodd y
frwydr heb i neb sylwi. Mae'n debyg ei fod ar ei ffordd yn ôl i'r
gwersyll i alw am gymorth rhagor o filwyr. Yn ôl yr hanes, fodd
bynnag, ac yntau'n dychwelyd i'r frwydr, fe'i trywanwyd yn sydyn
gan Sais o'r enw Stephen de Frankton. Nid oedd gan hwn syniad pwy
oedd y gŵr marw ond pan sylweddolwyd mai Llywelyn, Tywysog
Cymru, ydoedd, torrwyd ei ben ar unwaith a'i ddanfon at Edward yn
Rhuddlan. Wedi iddo ef ei arddangos yn sbeitlyd i'w filwyr yno, fe'i
danfonwyd i Lundain i fod yn destun gwawd pellach ac i dystio i
fuddugoliaeth fawr y brenin yng Nghymru. Pan fu farw Llywelyn, ein
Llyw Olaf, torrodd y bardd cyfoes, Gruffudd ab yr Ynad Coch, ei galon
yn lân a rhagwelai ddiwedd byd:

Poni welwch chwi hynt y gwynt a'r glaw?
Poni welwch chwi'r deri'n ymdaraw?
Poni welwch chwi'r môr yn merwinaw'r tir?
Poni welwch chwi'r gwir yn ymgyweiriaw? . . .
Poni welwch chwi'r haul yn hwyliaw'r awyr?
Poni welwch chwi'r sŷr wedi syrthiaw?

Yr un yw gofid un o'n beirdd cyfoes ni, Gerallt Lloyd Owen, yn ei gerdd 'Cilmeri':

Fin nos fan hyn
Lladdwyd Llywelyn:
Fyth nid anghofiaf hyn.

Y nant a welaf fan hyn
A welodd Llywelyn;
Camodd ar y cerrig hyn.

Fin nos fan hyn
O'r golwg nesâi'r gelyn.
Fe wnaed y cyfan fan hyn.

Rwyf fi'n awr fan hyn
Lle bu'i wallt ar welltyn
A dafnau o'i waed fan hyn.

Fan hyn yw ein cof ni,
Fan hyn sy'n anadl inni,
Fan hyn gynnau fu'n geni.

Diwedd Dafydd

Ond os erchyll oedd marw Llywelyn, bu diwedd ei frawd, Dafydd, yn llawer gwaeth. Daliodd ef ati i frwydro yn erbyn y Saeson, ond â'r Cymry gymaint ar chwâl bellach, fe'i trechwyd ac fe'i dygwyd yn garcharor i Amwythig. Yno, fe'i dedfrydwyd i farw a dioddefodd farwolaeth erchyll — cael ei lusgo ar hyd y strydoedd yn ddiseremoni wrth gynffonnau meirch, ei ddiberfeddu'n fyw, ei hongian ac yna'i chwarteru. Y fath ddiwedd! Dim rhyfedd, rywsut, o gofio am ddigwyddiad fel hwn, i aml Gymro o hyd fod yn elyn i Sais.

C.   TREFNIANT 1284

Roedd Cymru a'i phobl bellach dan orthrwm Brenin Lloegr a bwriad hwnnw'n awr oedd gweithredu cynlluniau a threfniadau newydd i'w ddiogelu ei hun ac i ddwyn y Cymry at eu coed:

(i)   Y Dywysogaeth

Siroedd newydd

Yr ardal orllewinol oedd y fwyaf Cymreig. Rhaid oedd cadw llygad barcud ar y tiroedd hyn a phenderfynodd ffurfio siroedd ar hyd arfordir y gorllewin: Môn, Arfon, Meirionnydd, Aberteifi a Chaerfyrddin. Credai, hefyd, er mwyn hwyluso ei lwybr i Ogledd Cymru (gan ei fod eisoes wedi ailadeiladu cestyll Rhuddlan a Fflint) mai da o beth fyddai ffurfio sir ar y Gororau yn cynnwys y Fflint, Bangor Is Coed a Maelor Saesneg. Roedd y sir hon dipyn yn wahanol i'r lleill, ond yn un gyfleus dros ben pe byddai'n rhaid ceisio datrys unrhyw anghydfod yng Ngogledd Cymru.

Swyddogion gweinyddol

I weinyddu'r unedau newydd yma, wrth gwrs, rhaid oedd i Edward benodi gwahanol swyddogion. Y prif swyddogion oedd yr Ustusiaid: un yng Nghaernarfon i ofalu am Fôn, Meirionnydd ac Arfon ei hun; un arall i weinyddu Caerfyrddin ac Aberteifi; ac un arall eto, sef Ustus Caer, i gadw llygad ar 'Sir y Fflint'. Roedd gan yr ustusiaid hyn i gyd yr hawl i benodi is-swyddogion — yn siryf, crwner ac ati, gyda'u dyletswyddau arbennig fel y dengys y diagram canlynol:

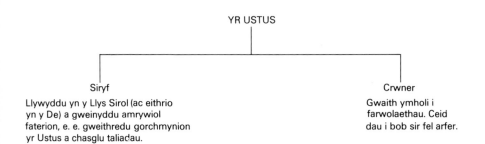

Llun 48:   Yr Ustus a'r is-swyddogion.

Un o swyddogion pwysicaf y gyfundrefn newydd oedd y siambrlen a'i waith ef oedd gofalu am faterion ariannol.

Trefn y cantrefi

Ceid mân swyddogion, hefyd. Cadwodd Edward I yr hen drefn o 'gantrefi' ac o 'gymydau' o fewn y gyfundrefn sirol newydd. Ac yn y

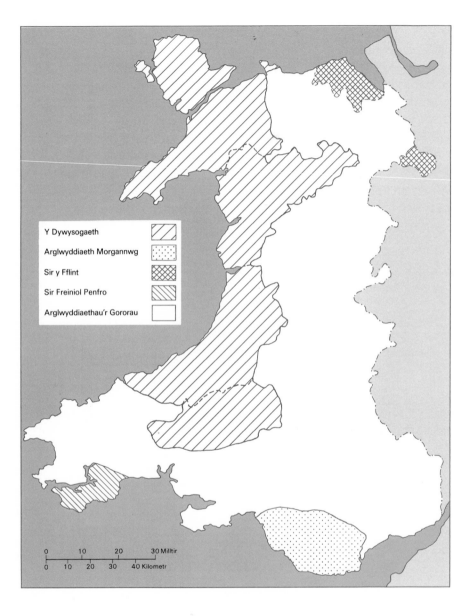

Y Dywysogaeth

Arglwyddiaeth Morgannwg

Sir y Fflint

Sir Freiniol Penfro

Arglwyddiaethau'r Gororau

0   10   20   30 Milltir
0   10   20   30   40 Kilometr

Map 15:   Cymru ym 1284.

rhain, megis cynt, y rhaglaw oedd y prif awdurdod â'r hawl ganddo i godi trethi'r cylch ac i gadw trefn. Ond, yn raddol, collodd y rhaglaw ei awdurdod i ddau is-swyddog: (i) *Y Maer*, o blith y gwŷr caeth, i gasglu trethi, dirwyon a dyledion; (ii) *Y Rhingyll*, o blith y gwŷr rhydd, i ddal drwgweithredwyr a'u cosbi. Beth am weddill Cymru yn ôl trefniant Edward I? Cafodd Iarll Penfro diriogaeth arbennig, sef 'Sir Freiniol Penfro', ac Iarll Caerloyw 'Forgannwg'—y ddau i raddau'n annibynnol ar awdurdod y brenin. Am y rhannau eraill o Gymru, Arglwyddi'r gororau a chadfridogion y brenin a feddiannodd y rheini.

(ii) Cyfraith y Wlad
Cyfraith Lloegr yng Nghymru

Penderfynodd Edward I, hefyd, newid y gyfraith yng Nghymru. Nid oedd yn fodlon bellach ar y gosb yng Nghymru am droseddau megis clwyfo, achosi tân, lladrata, llofruddio a brad (bradychu'r goron, wrth gwrs). Am drosedd mawr, er enghraifft, yn ôl Cyfreithiau Hywel Dda, roedd pob aelod o'r teulu'n gyfrifol am yr unigolyn euog. Roedd yn well gan Edward I pe bai'r gymdeithas gyfan yn gyfrifol am ddal y troseddwr drwy godi gwaedd a'i erlid. Pe methai trigolion un ardal ei ddal, yna, pan gyrhaeddai'r ardal nesaf, dyletswydd trigolion yr ardal honno fyddai ei ddwyn i'r ddalfa, ac felly ymlaen. Er mwyn sicrhau bod Cyfraith Loegr yn cael ei gweithredu'n effeithiol yng Nghymru, sefydlodd Edward I bedwar llys brenhinol a dangosir eu cyfansoddiad yn y tabl a welir ar dudalen 126.

(iii) Adeiladu Cestyll
Cryfhau amddiffynfeydd

Ond credai Edward I hefyd fod eisiau cadarnhau ei amddiffynfeydd yng Nghymru rhag ofn i'r Cymry wrthryfela. Roedd eisoes wedi gwneud hyn yn Aberystwyth, Llanfair-ym-Muallt, y Fflint a Rhuddlan. Ond erbyn hyn roedd wedi ffurfio llynges, a thybiai y gallai'n hawdd wneud defnydd ohoni pe digwyddai rhyw ymgyrch yn ei erbyn yng Nghymru. I'r diben hwn penderfynodd mai da o beth fyddai codi cestyll ar yr arfordir, yn enwedig yng Ngwynedd, lle'r oedd mwy o berygl gwrthryfel nag yn unman arall yng Nghymru. Felly, aeth ymlaen a chynllunio i adeiladu cestyll yng Nghonwy, yn Harlech ac yng Nghaernarfon. Cestyll gosgeiddig ac urddasol oedd y rhain i gyd ac mae golwg go dda ar eu muriau o hyd, er bod ôl y blynyddoedd arnynt erbyn hyn.

MANYLION	Y SESIWN	Y LLYS SIROL	LLYS Y CANTREF	Y TWRN
Llywydd	Yr Ustus. (Y Siryf, y Crwner a'r Rhingyll wrth law yn cynorthwyo.)	Y Siryf.	Rhaglaw. (Yn ddiweddarach y Maer neu'r Rhingyll.)	Y Siryf.
Sawl tro	Dwywaith neu bedair y flwyddyn.	Unwaith y mis.	Unwaith bob tair wythnos.	Dwywaith y flwyddyn.
Lle	Prif dref y sir.	Lle arbennig yn y sir, wedi ei drefnu ymlaen llaw. (Nid oedd hyn yn gyfleus i Gymry a deithiai o bellter.)	Lle penodedig yn y Cantref ei hun. (Roedd yn haws i'r Cymry cyhuddedig gyrraedd hwn mewn digon o bryd.)	Lle penodedig eto.
Achosion	Achosion difrifol o dorri'r gyfraith, yn enwedig achosion o amharu ar heddwch y gymdogaeth.	(i) Drwgweith-redu cyffred-inol; (ii) Achosion sifil; (iii) Penderfynu ar drwyddedau, e.e. i fragu cwrw. (Rhaid cofio mai Saeson bron yn ddieithriad oedd swyddog-ion y llys hwn.)	Achosion tebyg i'r rhai a glywid yn y Llys Sirol. (Ond yma roedd yr awyrgylch yn fwy cartrefol a rhai o'r swyddogion yn gallu siarad Cymraeg.)	Ymchwiliad cyhoeddus yn hytrach na llys oedd hwn. Rhaid oedd i bob tir-feddiannwr roi manylion i'r Siryf am ei feddiannau er mwyn iddo ef eu rhoi i'r brenin.

Cyfansoddiad pedwar llys brenhinol Edward I.

Castell Conwy oedd y cyntaf i'w gwblhau, tua'r flwyddyn 1287. Castell hirsgwar oedd hwn â thyrau crwn a ffos o'i gwmpas i'w amddiffyn, ac wedi ei adeiladu'n bwrpasol gan y brenin yn yr union fan lle llifai afon Conwy i'r môr.

Llun 49: Castell Conwy tua'r flwyddyn 1290 yn ôl dehongliad Alan
Sorrell.

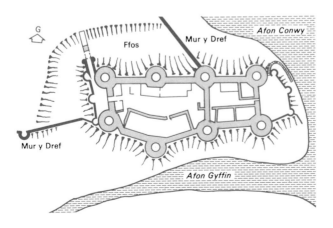

Llun 50: Castell Conwy : Cynllun.

Roedd Harlech, wedyn, yn ddelfrydol o ran lleoliad gan iddo alluogi Edward i godi castell ar graig uchel uwchben Bae Ceredigion, amddiffynfa gadarn os bu un erioed. Tua'r flwyddyn 1290 y daeth y gwaith hwn i ben ac yn y llun isod gwelir sut yr edrychai'r castell y pryd hwnnw (yn ôl dehongliad artist). Tybir y gallai llongau yn y Canol Oesoedd hwylio at odre'r graig y saif y castell arni, fel y gwelir yn y llun. Erbyn heddiw ciliodd y môr yn ôl ryw hanner milltir o'r fan hon.

Roedd cynllun y castell arbennig hwn yn ymylu ar fod yn sgwâr ond bod y tyrau'n grwn unwaith eto. Yma roedd y môr yn amddiffyn ar ddwy ochr, ond bu'n rhaid torri ffos ar y ddwy ochr arall i sicrhau diogelwch llwyr.

Dechreuwyd codi castell Caernarfon tua'r flwyddyn 1283, a bu cymaint â dwy fil a phum cant yn gweithio ar y cynllun, o bryd i'w gilydd. Er hynny, ni chafodd y gwaith ei gwblhau cyn gyflymed â chestyll Conwy a Harlech am resymau arbennig iawn.

Llun 51: Castell Harlech pan oedd newydd ei gwblhau, yn ôl dehongliad Alan Sorrell.

(iv) Bwrdeistrefi

Hen 'drefi' Cymru

Prif amcan codi tref, fel arfer, yw hyrwyddo masnach a chael y bobl at ei gilydd yn gymdeithas. Roedd yng Nghymru ganolfanau masnach o ryw fath cyn dyfod y Normaniaid, ac ar yr arfordir y lleolid hwy — lleoedd megis Abermo a Phwllheli yn y Gogledd a Hwlffordd ac Abertawe yn y De. Mae'n arwyddocaol mai dyma'r mannau a gyrchai'r Llychlynwyr ar eu hymgyrchoedd yn y nawfed a'r ddegfed ganrif i fasnachu, ac, yn ddiamau, i ddwyn peth ysbail.

Trefi'r Normaniaid

Pan ddaeth y Normaniaid ac adeiladu eu cestyll hwnt ac yma, byddent yn codi tref o gylch y castell bron yn ddieithriad, er y cymerai flynyddoedd lawer i'r trefi hynny dyfu. Gwnaent hynny er mwyn ceisio ffurfio cymdeithas gymysg, gyfeillgar o'u pobl hwy a'r brodorion, a chynnal yr holl breswylwyr â gwir anghenion bywyd megis bwyd a diod. Trefi cymharol fychan oedd y rhain a lleolwyd ambell un ohonynt mewn man braidd yn ddiarffordd. Ychydig o'r brodorion a âi iddynt i fyw o wirfodd. Y rheswm am hyn oedd fod llawer iawn o Gymry'r cymoedd a'r gwastadeddau yn elyniaethus tuag at yr estroniaid hyn yn eu sefydliadau newydd.

Siartr arferol tref Normanaidd

Roedd gofyn i'r Normaniaid ddenu pobl i breswylio yn eu trefi oherwydd y peryglon hyn, ac os oeddynt am i'w menter lwyddo roedd yn rhaid iddynt gynnig atyniadau i weithwyr neu grefftwyr celfydd. Rhoddid siartr i bob tref a oedd, fwy neu lai, yn annibynnol. Yn ôl y siartr: (i) Roedd gan y trigolion freintiau arbennig; (ii) Nid oedd raid i'r masnachwyr a drigai yn y dref dalu tollau yn y farchnad; (iii) Pe dymunai gweithwyr o'r un grefft ffurfio urdd neu undeb, caent wneud hynny. Teg yw dweud mai ychydig o Gymry a fanteisiodd ar y cyfleusterau hyn ac mai estroniaid oedd cnewyllyn poblogaeth y trefi yn y cyfnod hwn.

Cynllun Edward I

Pan orchfygwyd y wlad gan Edward I, penderfynodd ef lunio bwrdeistrefi, sef sefydliadau mwy dethol na'r trefi hyn, o gwmpas y cestyll. Nid oedd croeso i Gymro (ac eithrio ambell Gymro arbennig) nac yn sicr i fardd o Gymro o fewn cyffiniau bwrdeistref yn ei gyfnod ef. Ac eto, nid oedd am bechu'n ormodol yn erbyn y Cymry, ac felly sefydlodd fwrdeistrefi Cymreig annibynnol i'r brodorion mewn ambell le.

Bwrdeistrefi Cymreig

Un o'r bwrdeistrefi Cymreig y gwyddom i Edward I ei sefydlu oedd Niwbwrch ar Ynys Môn. Cyn codi castell Biwmares, hyd yn oed, roedd 'tref' yn y cyffiniau o'r enw Llan-faes a Chymry'n ddiamau a drigai o fewn ei therfynau. Ond codi bwrdeistref ddethol Seisnig a wnaeth Edward i amgylchynu ei gastell ym Miwmares. Ac felly, roedd yn rhaid symud y Cymry o'r ardal i ran arall o Fôn, ie, i Rosyr ar ochr orllewinol yn ynys. Yno, ffurfiwyd bwrdeistref newydd, sef Niwbwrch (*New borough*). Ac mae'n ddiddorol sylwi, o'r pryd hwnnw hyd heddiw, na fu rhyw lawer o gyfeillgarwch na chyfathrach rhwng trigolion 'Seisnig' Biwmares a thrigolion 'Cymreig' Niwbwrch. Wedi marw Edward, aethpwyd ymlaen â'r cynllun hwn, a chodi bwrdeistrefi 'Cymreig' mewn lleoedd megis y Bala, Pwllheli a Nefyn. A chyn diwedd y Canol Oesoedd roedd brenhinoedd Lloegr yn fodlon i Gymry ymweld â bwrdeistrefi 'Seisnig', ac i ganiatáu iddynt ymsefydlu ynddynt, hyd yn oed, ambell dro.

CH. GWRTHRYFEL DRWY GYMRU

Cwynion y Cymry

Wedi trefniant 1284, roedd y Cymry'n anniddig iawn. Roedd ganddynt o leiaf bedair cŵyn: (i) Gormes didrugaredd y swyddogion Seisnig; (ii) Y trethi a'r tollau afresymol a godid arnynt os oeddynt am fasnachu mewn bwrdeistrefi megis Conwy a Chaernarfon; (iii) Gorfodid llawer ohonynt i lafurio, bron fel caethweision, i adeiladu cestyll i'r brenin — yng Nghymru o bob man!; (iv) Gorfodid Cymry eraill i ymladd ym myddinoedd Edward mewn gwledydd tramor.

Dechrau'r gwrthryfel

Y cyntaf i godi arf oedd Rhys ap Maredudd, Arglwydd Ystrad Tywi, a fu, cyn 1284, yn ffyddlon ac yn deyrngar i Frenin Lloegr. Ym 1281, dair blynedd cyn cwblhau trefniant 1284, penodwyd gŵr o'r enw Robert de Tibetot yn Ustus y De. Mae'n amlwg nad oedd gan hwn barch at Gymry o gwbl a synnwyd Rhys yn fawr pan orchmynnwyd iddo ymddangos o'i flaen yn y llys sirol. Apeliodd Rhys at y brenin ond roedd hwnnw ar y pryd yn Ffrainc, ac er iddo dderbyn llythyr gan Edward yn addo tegwch pan ddychwelai, nid oedd hyn yn ddigon gan Arglwydd Ystrad Tywi. Aeth ati ar unwaith gyda'i fintai i ailfeddiannu Dinefwr, yn ogystal â dau gastell arall, sef Carreg Cennen a Llanymddyfri. Yna, teithiodd ymlaen at byrth Caerfyrddin gan losgi eiddo pob estron a welai ar ei daith. Ac ar ddiwedd y chwe wythnos o ymgyrchu yng nghanol haf, cyrhaeddodd Lanbadarn.

Llun 52:   Trebuchet yn ymosod ar Gastell Dryslwyn.

Y Saeson yn taro

Iarll Cernyw a benodwyd gan y Saeson i ymdrin â'r broblem, a daeth i Gymru gyda'i lu. Credai Rhys y byddai'n well iddo osgoi cyfarfod â hwy wyneb yn wyneb, ac enciliodd gyda'i wŷr i'r mynyddoedd. Tybiai'r Saeson y byddai'n llechu yng nghastell Dryslwyn a phenderfynwyd ymosod ar y lle hwnnw. Ar ôl iddynt dorri cylch o gwmpas y castell a thurio oddi tano, llusgwyd peiriant saethu cerrig mawr — *trebuchet* — i'r cyffiniau ac anelwyd cerrig at fan gwannaf yr adeilad. Ond bu cryn drychineb pan gwympodd un o'r muriau a chladdu amryw o'r ymosodwyr o dan y rwbel. Yn y cyfamser, gan fanteisio ar y ddamwain, aeth Rhys ymlaen a meddiannu Castellnewydd Emlyn. Roedd y Saeson yn benderfynol o ddal Rhys ac felly llusgwyd y peiriant anferth gan drigain o ychen i Gastellnewydd Emlyn i'w amgylchynu. Unwaith eto, fodd bynnag, nid oedd sôn am Rhys ac y mae'n debyg iddo ddianc i Iwerddon. Tra oedd yntau yn yr Ynys Werdd, llwyddodd de Tibetot i adennill y cestyll yn y De a ailfeddiannwyd gan Rhys — Dinefwr, Carreg Cennen a Llanymddyfri.

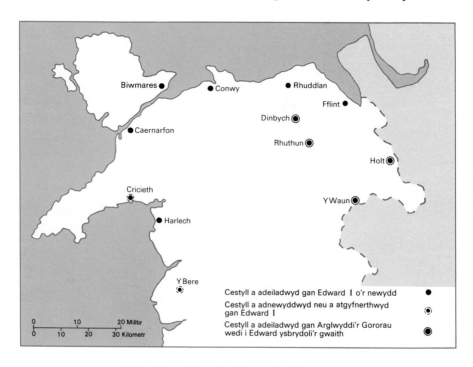

Map 16:   Lleoliad Cestyll Edward I.

Dal a dienyddio Rhys

Ond roedd y Cymry'n casáu Ustus y De, a phan ddychwelodd Rhys i Gymru yn y flwyddyn 1290, rhoes ei fryd ar wrthryfela unwaith eto. Ffurfiwyd mintai o wrthryfelwyr ond nid oedd fawr o drefn ar y cynlluniau ymosod, ac yn fuan iawn daliwyd Rhys gan Gymry bradwrus a'i ddwyn yn garcharor i dref Efrog. Yno, cafodd ei ddedfrydu'n fradwr a'i lusgo, wedyn, ar hyd strydoedd y dref honno ynghlwm wrth gynffonnau meirch, ac yn y diwedd, ei ddienyddio'n erchyll.

Gwrthdystio ledled Cymru

Erbyn 1294 roedd Cymry'r holl wlad ar dân yn erbyn gormes y siryfion ac anghyfiawnder yr ustusiaid Seisnig. Bu gwrthdystio a gwrthryfela, felly, yn y flwyddyn honno, bron ym mhob rhan o Gymru. Yn Nyfed, gŵr ifanc o'r enw Maelgwn a fentrodd i flaen y gad a chipio castell Aberteifi a phoeni cryn dipyn ar y Saeson yn eu canolfannau ym Mhenfro ac yng Nghaerfyrddin.

Ym Morgannwg, teimlai gŵr o'r enw Morgan gryn chwerwder am iddo golli tir ar draul arglwyddi Normanaidd a Seisnig, a llwyddodd, drwy arwain ei fintai dros fryn a dôl, i ymlid Gilbert, Iarll Caerloyw ('Yr Iarll Coch'), Arglwydd Morgannwg, o'i dir a meddiannu castell Morlais, ger Merthyr Tudful. Yn y Canolbarth, bu ymosodiadau ar gestyll Llanfair-ym-Muallt a'r Bere, a bu mynachod Ystrad-fflur, hyd yn oed, yn ymuno yn yr ymladd. Ac yna yn Nyffryn Clwyd, lle'r oedd teulu o'r enw De Lacy yn tra-arglwyddiaethu yn y cylch, ymosododd Cymry'r ardal ar gastell Dinbych.

Yr Ymosodiad ar Gaernarfon

Yng Ngwynedd, wrth gwrs, y bu'r gwrthdrawiad pennaf, a Madog ap Llywelyn oedd arweinydd y gwrthryfel yma. Cas oedd ganddo feddwl am ustusiaid a siryfion Normanaidd-Seisnig (yn enwedig Syr Roger Puleston, Siryf Môn) yn arglwyddiaethu ar y diriogaeth ac yn gormesu ei thrigolion. Ond, yn anad dim, y sefyllfa yng Nghaernarfon oedd yn ei wylltio fwyaf. Erbyn hyn roedd castell Edward I yno, i bob pwrpas wedi ei gwblhau ac yntau wedi sefydlu bwrdeistref o'i gwmpas. Roedd breintiau arbennig gan drigolion y dref, yn naturiol, ond os oedd Cymry'r ardal oddi amgylch yn dymuno masnachu yno, roedd yn rhaid iddynt dalu trethi a thollau afresymol o uchel. Yn ddisymwth, arweiniodd Madog ei wŷr yno a llosgi rhannau helaeth o'r castell a'r dref. Daeth hanes y gwrthryfel i glyw Edward I yn ei lys ac, yn ôl un stori, syrthiodd un o'i wasanaethyddion yn farw

gorn pan welodd ymateb ffyrnig a gwallgof y brenin. Roedd y brenin
wedi trefnu i arwain byddin gref i Ffrainc ac roedd ar fin hwylio pan
ddaeth y newydd hwn. Rhaid oedd gohirio ac arwain rhan, o leiaf,
o'i fyddin i Ogledd Cymru, lle'r oedd y perygl mwyaf i'w swyddogion
a'i gefnogwyr.

Taith Edward yng Ngogledd Cymru

Dyma'r Saeson, unwaith eto, ar eu taith gynefin i Gymru, a Chaer
yn arhosfan iddynt ar y daith. Oddi yno, yn wahanol i arfer, teithiodd
y fyddin i Wrecsam ac yna ar draws gwlad i Gonwy. Nid oedd argoel o
gwbl y byddai ymosodiad yn dod o du'r Cymry, ac felly mentrodd
Edward a'i filwyr ymlaen i gyffiniau Bangor i fwrw cipolwg ar y
sefyllfa yno. Gan fod popeth mor dawel, roedd yn weddol fodlon a
phenderfynodd ddychwelyd i'w wersyll yng Nghonwy. Ond wrth
ddychwelyd ar hyd llwybr cul islaw creigiau uchel yng nghyffiniau
Penmaen-mawr, dyma genllif o gerrig trymion yn disgyn ar eu pennau
a chawodydd pellach yn eu dilyn. Lladdwyd llawer ond llwyddodd
Edward a'r gweddill i ddianc ar hyd y traethau i Gonwy, er iddynt golli
eu cyflenwad bwyd ar y ffordd.

Y Saeson yng Nghonwy

Roedd Edward a'i filwyr yn falch o gyrraedd diogelwch castell
Conwy ar ôl yr ymgyrch, gan fod y muriau'n newydd, yn gryf ac yn
uchel. Roeddynt dan warchae, er hynny, a chan fod y glaw yn
tywallt i lawr ac yn creu llifogydd mawr, nid oedd fawr o siawns y
gallent ddianc oddi yno ar fyrder. Y tu mewn i'r castell, digon prin
oedd y cyflenwad bwyd bellach — dim ond cig hallt, bara sych a dŵr
wedi ei felysu â mêl. Roedd un gasgen win ar ôl, casgen y brenin, ond
mynnai ef rannu ei chynnwys â'i filwyr. Yna, daeth y tywydd gerwin
i ben, codwyd y gwarchae a symudodd Madog a'i fyddin ymlaen i
Bowys.

Brwydr Maes Moydog, 1295

Yno, yn anffodus i Madog, roedd Iarll Warwick wedi hen ymsefydlu
â byddin gref yn Nhrefaldwyn, ac roedd yn barod i ymladd i'r eithaf.
Cynlluniodd ymosodiad sydyn gan ddefnyddio tacteg newydd, sef
gosod gwŷr y bwa hir ymysg y gwŷr meirch. Ond roedd gan y Cymry
hefyd gynllun arbennig, sef gosod gwaywffyn yn unionsyth yn y
ddaear er mwyn clwyfo'r meirch a ddeuai ar garlam i ymosod yn
nhywyllwch nos. Ym Maes Moydog, yng nghwmwd Caereinion, y bu'r
frwydr hon, yn y flwyddyn 1295. Roedd yr elfennau o blaid y Saeson
gan mai noson olau leuad ydoedd a'u gwŷr meirch yn gallu osgoi magl

y gwaywffyn yn hawdd. Bylchwyd rhengoedd y Cymry a bu i wŷr y bwa hir fanteisio ar hynny gan ladd llawer o'r Cymry. Llwyddodd Madog ei hun i ddianc o faes y frwydr, ond buan iawn y bu raid iddo ef ildio i Frenin Lloegr, a threulio gweddill ei oes yn garcharor yn Nhŵr Llundain.

D. CYMRU AR ÔL Y GWRTHRYFEL

Ailadeiladu castell Caernarfon

Wedi'r gwrthryfel, sylweddolodd Edward I, yn fwy nag erioed, mai ei amddiffynfeydd gorau yng Nghymru oedd ei gestyll cedyrn. Ac aeth ati ar unwaith i ailadeiladu'r castell a ddinistriwyd yng Nghaernarfon

Llun 53: Castell Caernarfon.

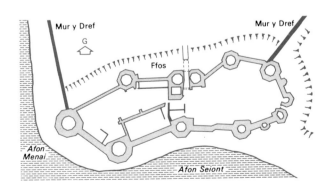

Llun 54: Castell Caernarfon : Cynllun.

gan Madog ap Llywelyn yn y flwyddyn 1294. Roedd hyn yn bwysig iawn gan mai Caernarfon oedd prif ddinas Gwynedd. Ac yn wir erbyn dechrau'r bedwaredd ganrif ar ddeg roedd y gwaith adeiladu bron wedi dod i ben. Mae ffurf ychydig yn wahanol i'r castell hwn o'i gymharu â chestyll Conwy a Harlech ac mae tyrau wythonglog yn hytrach na rhai perffaith grwn ganddo. Gwarchodid y castell hwn gan afon Menai ar y naill ochr, afon Seiont ar yr ochr arall a ffos o amgylch y gweddill.

Castell Biwmares

Yna, i gadw ei afael ar Ynys Môn, credai Edward fod yn rhaid iddo godi castell cadarn yno. Ym Miwmares, yr ardal fwyaf Seisnig, y penderfynodd adeiladu'r castell hwn a sefydlodd fwrdeistref yno hefyd.

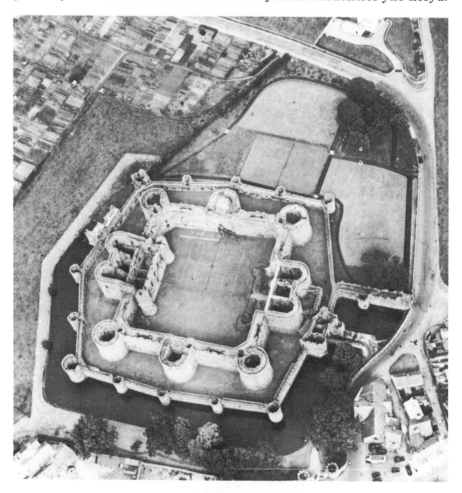

Llun 55: Castell Biwmares.

136

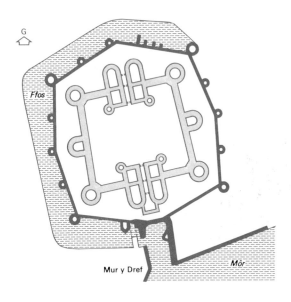

Llun 56: Castell Biwmares : Cynllun.

Roedd dau reswm am hyn: (i) Byddai trigolion ardal o'r fath yn fwy
cefnogol iddo ac yn cydymffurfio'n well â'i gynlluniau; (ii) Mantais,
hefyd, yn nhyb Edward, oedd fod Biwmares ar lan y môr, a gallai'n
hawdd gyrraedd yno â'i lynges. Hwn oedd y castell perffeithiaf a
godidocaf a adeiladwyd yng nghyfnod Edward I. Gŵr o'r enw James o
St. George, prif bensaer y brenin, a'i cynlluniodd, ac er mai ffrwyth
ei weledigaeth ef oedd castell godidog Harlech hefyd, ei gastell ar
Ynys Môn yw ei gampwaith, yn sicr.

Ymgais Edward I i gyfaddawdu â'r Cymry

Ar ôl gwrthryfel 1294, mae'n ymddangos i Edward I ddysgu nad
trwy ormes a thrais y gellid ennill teyrngarwch, ond trwy ddealltwriaeth
ac ymddiriedaeth o'r ddau du. Wedi hynny, bu'n barod i wrando ar
gwynion y Cymry yn erbyn dulliau a gweithredoedd anghyfiawn ei
swyddogion ymffrostgar, hunanol ac uchelgeisiol, ac i ymchwilio i
achos y gynnen. Ac yn y flwyddyn 1301, er mwyn plesio'r Cymry
ymhellach, cyflwynodd iddynt ei fab hynaf a'i gyhoeddi'n Dywysog
Cymru. Yr hen stori, wrth gwrs, yw i Edward gyflwyno'i fab
newydd-anedig i'r genedl yng nghastell Caernarfon, a chyhoeddi

mai ef oedd Tywysog Cymru, yn olynydd i Llywelyn ein Llyw Olaf, ac nad oedd yn medru un gair o Saesneg. Ond stori 'wneud' yw honno ac roedd Edward, Tywysog Seisnig cyntaf Cymru, yn un neu'n ddwy ar bymtheng mlwydd oed pan gafodd y teitl hwn.

Marw Edward I

Roedd Cymru, bellach, fodd bynnag, dan fawd Lloegr, a chredai Edward I y gallai'n hawdd wireddu ei freuddwyd i orchfygu'r Alban hefyd, a chreu Prydain Unedig. Ond pan oedd ar ffiniau'r Alban, ac yn llawn brwdfrydedd er ei fod bellach yn ddeg a thrigain oed, bu farw o fewn golwg i'r wlad yn y flwyddyn 1307.

YMARFERION

1. Disgrifiwch yn fyr gyfnod cynnar Llywelyn ap Gruffydd fel Tywysog Gwynedd.

2. Copïwch Fap 13, 'Cytundeb Trefaldwyn 1267'.

3. Rhoddwch hanes yr hyn a ddigwyddodd yng Nghymru wedi i Edward I etifeddu gorsedd Lloegr ym 1272.

4. Beth oedd telerau Cytundeb Aberconwy (1277)?

5. Dysgwch y gerdd 'Cilmeri' gan Gerallt Lloyd Owen.

6. Rhestrwch y newidiadau a fu yng Nghymru yn sgîl trefniant 1284, a chopïwch Fap 15 gan enwi'r rhaniadau newydd.

7. Dewiswch un o'r cestyll y sonnir amdanynt yn y bennod, ymchwiliwch i'w hanes a cheisiwch wneud model ohono, wedi astudio'r llun a'r cynllun.

LLYFRYDDIAETH

BEBB, W. Ambrose	(a) *Ein Hen, Hen Hanes*	Hughes a'i Fab
	(b) *Llywodraeth y Cestyll*	
COURT, A. N.	*Look at Wales in Colour*	Jarrold
CYMDEITHAS Y CYMMRODORION	*Y Bywgraffiadur Cymreig hyd 1940*	
DAVEY, L. A.	*History through Maps and Diagrams, Book 1*	Wheaton
DAVIES-JONES, Rhiannon	*Llys Aberffraw*	Gwasg Gomer
EDWARDS, Syr O. M.	(a) *Cymru* Coch - (Cylchgronau)	
	(b) *The Story of the Nations: Wales*	T. Fisher Unwin
EVANS, H. T.	*Stories from Welsh History, Book 1*	Hughes a'i Fab
FINNEMORE, John	(a) *The Story of England and Wales, Book 4*	Educ. Pub. Press
	(b) *Social Life in Wales*	A & C Black
FRASER, David (Cyf. Syr T. H. Parry-Williams)	(a) *Y Goresgynwyr*	Gwasg Prifysgol Cymru
(Cyf. Bedwyr Lewis Jones)	(b) *Yr Amddiffynwyr*	Gwasg Prifysgol Cymru
GRUFFYDD, K. Lloyd	*Eglwys y Plwyf*	Gwasg Gwynedd
JONES, J. Idwal	*Atlas Hanesyddol Cymru*	Gwasg Prifysgol Cymru
JONES, T. Gwynn	*Cerddi Hanes*	Hughes a'i Fab
LEWIS, Saunders	*Siwan a Cherddi Eraill*	Llyfrau'r Dryw
LLOYD, Syr J. E.	*History of Wales II*	Longman
LOYN and SORRELL	*Norman Britain*	Lutterworth Press
MOELONA	*Storïau o Hanes Cymru*	Educ. Pub. Press
McCRIRICK, Mary	(a) *Wales in the Middle Ages*	Arnold
	(b) *Stories of Wales, Book 1*	Arnold
OATES, David W.	*Heroes of Welsh History*	Harrap & Co.
OWEN, Gerallt Lloyd	*Cerddi'r Cywilydd*	Cyhoeddiadau Tir Iarll
PARRY, Syr Thomas (Cyf.)	(a) *Lladd wrth yr Allor* (T. S. Eliot)	Llyfrau'r Dryw
(Gol.)	(b) *The Oxford Book of Welsh Verse*	Clarendon
PRICE, M. R.	*A Portrait of the Middle Ages*	Oxford
QUICK, Dilys	*Cartrefi a Gwisg drwy'r Oesoedd*	Gwasg Gomer
REES, William	*An Historical Atlas of Wales*	Faber and Faber
RICHARDS, Melville (Gol.)	*Atlas Môn*	Cyngor Gwlad Môn
RICHARDS, Robert	*Cymru'r Oesau Canol*	Hughes a'i Fab
ROBERTS, Glyn	'Wales and England' yn y gyfrol *Aspects of Welsh History*	Gwasg Prifysgol Cymru
RODERICK, A. J. (Gol.)	*Wales through the Ages* (2 Gyfrol)	Christopher Davies

RODERICK, A. J.	*Looking at Welsh History, 1: From the Earliest Times to the Middle Ages*	A & C Black
RHYS, Ernest	*Readings in Welsh History*	Longman
TOUT, T. F.	*An Advanced History of Great Britain*	Longman
WATKINS, David	*Deg o Dywysgoion*	Llyfrau'r Dryw
WILLIAMS, Ifor Wyn	*Gwres o'r Gorllewin*	Gwasg Gomer
'Cotman-Color' Books Series	*The Castles of Wales*	Jarrold

MYNEGAI

141

British Library Cataloguing in Publication Data

Jones, Tecwyn
   Hanes Cymru yn oes y tywysogion.
   1. Wales — History — to 1536
   I. Title
   ISBN 0-7083-0838-4